Einaudi Contemporanea

15

a Mark Lilla
con la speranza che
il libro sia utile
almeno come esercizio
d'italiano
e con i più cari
saluti

Paolo Flores d'Arcais

ISBN 88-06-13001-3

Paolo Flores d'Arcais
Etica senza fede

Einaudi

Indice

Indice

Prefazione

Errore senza fine

Prefazione

Carte in tavola. Questo è un libro ateo, dunque impresentabile e di cattivo gusto, secondo i canoni vigenti del «culturalmente corretto», che ammettono bensí il non credente, ma come ansia insoddisfatta, anelito da mancanza, amputazione della pienezza dell'esistenza, bisogno e ricerca di fede. Ma snobbano l'ateismo che si presenta e vive come assunzione ordinaria e sfondo critico ormai acquisito. E che comunque perentoriamente rifiutano una eguale dignità all'ateismo e alla religione.

E infatti. Anche il credente di piú larghe vedute considera l'ateo spiritualmente indigente sotto un profilo decisivo, e con ciò ineludibilmente esposto al demone della disperazione. Questa opinione non viene considerata intollerante, né tanto meno offensiva verso l'ateo. Ed è giusto cosí. Ma non vale il reciproco. La convinzione atea che la fede sia inestricabilmente connessa (benché tutt'altro che riducibile) alle pulsioni superstiziose dell'illusione, verrà giudicata fastidiosa spocchia piú o meno arrogante e aggressione piú o meno incolta (benché sia la posizione di Sigmund Freud e Jacques Monod, fra gli altri).

Il credente può condannare come errore l'ateismo, ma se dialoga con l'errante viene altamente apprezzato. Asimmetricamente, però, l'ateo che respinga la religione come errore perché (anche) superstizione, ma dialoghi con il superstizioso e sotto ogni altro profilo lo stimi, è comunque bollato di volgarità e intolleranza.

Suona fastidiosamente vittimistico ricordare che l'ateismo è ancora oggi discriminato. Pure, alla Casa Bianca, nel cuore dell'impero, è immaginabile che vada in futuro un nero, o una donna, o un omosessuale, ma assai piú difficilmente qualcuno che apertamente dichiari illusione la Provvidenza, e non sia disposto a condividere ciò che il verde di ogni dollaro porta stampato a rassicurazione: «In God we trust».

L'ateo oggi è sospetto, insomma, e culturalmente piú ancora che moralmente. È decisamente *out*. Anche la cultura scettica e postmoderna corteggia piú che mai la religione. L'ateismo è giudicato per sua natura arido, spiritualmente e civilmente, o addirittura bizzarro come un'ostentazione, invece di essere assunto come filosoficamente scontato. Perché mai?

Forse perché *praticamente* atei sono ormai in maggioranza gli abitanti dell'Occidente, ma spesso in preda a tutte le possibili e «secolari» superstizioni surrogatorie. Forse perché sappiamo che senza fede si muovono le montagne (basta la tecnica), ma siamo giustamente tormentati dal dubbio che senza fede si volti sgomenti (e vili) lo sguardo di fronte al povero e al sofferente. Forse perché abbiamo visto che troppe volte, in nome della lotta alla superstizione, si è solo combattuta la concretezza della carità e alimentato il cinismo. Forse perché l'ateismo, con il comunismo, è stato trasformato in religione tanto piú spietata quanto solo terrena, e in fanatico obbligo di esibire e gridare la fede della negazione di Dio.

Mentre ateismo è, piú semplicemente, il sobrio rifiuto di occultare la nostra ineludibile finitezza dietro l'ipostasi suprema, quale che sia il nome, – o l'impronunciabile – che la fede o la filosofia vorrà darle. O dietro il mistero, il nome che diamo alle consapevolezze insopportabili. E quanto all'aridità, l'ateismo può invece essere, come per non pochi è, la serena premessa di un'autentica *passione* per il relativo.

Pure, la situazione che l'ateo *liberal* e libertario vive è anche questa: spesso le persone che piú stima, e con le quali condivide impegno e perfino amicizia, sono credenti di una religione positiva. Fedeli di una chiesa. Eppure animati, come lui, da passione per le libertà, oltre che da coerenza di solidarietà. Contro la mafia e la corruzione, anzi, spesso sono proprio i cristiani, e addirittura il clero e i suoi vescovi, a essere in prima fila. Cosí come nell'aiuto agli ultimi, ai dannati delle metropoli, agli scarti dell'opulenza.

Non vi è paradosso, però. L'ateo al credente chiede semplicemente che rinunci a imporre la propria personale fede e la morale della sua chiesa. Che essa sia testimonianza, se e come vuole, ma non pretenda un ruolo pubblico, epperciò di potere. E meno che mai chieda di divenire *legge*. Proprio questo, invece, auspica e tenta di realizzare il cattolicesimo odierno e il suo papa venuto dall'est, Giovanni Paolo II.

Questo, comunque, non è un libro sul papa polacco. L'ideologia di Karol Wojtyła è piuttosto un filo conduttore largamente utilizzato (e con puntualità filologica e analitica, si spera) per descrivere il contrasto fra l'etica del disincanto, cioè della finitezza, e una costellazione ideologica assai composita (dagli integralismi religiosi al «radicalismo» del *politically correct*) che nella crisi della modernità legge il fallimento del progetto moderno. Meglio: che lo considera realizzato, e perciò catastrofico.

Opposta è la tesi di questo scritto. La modernità è ancora da conquistare, il disincanto ancora da approssimare. E con esso la democrazia, oggi piú che mai in eclissi.

Etica senza fede

A mia moglie Anna

Nota

Le seguenti encicliche sono citate con la sigla e seguite dal numero di pagina riferito a *Tutte le encicliche dei sommi pontefici*, Dall'Oglio, Milano 1990.

QN   *Quod numquam* (Pio IX, Giovanni Maria Mastai Ferretti)

LP   *Libertas praestantissimum* (Leone XIII, Gioacchino Pecci)

RN   *Rerum novarum* (Leone XIII, Gioacchino Pecci)

QA   *Quadragesimo anno* (Pio XI, Achille Ratti)

MM   *Mater et magistra* (Giovanni XXIII, Angelo Giuseppe Roncalli)

RH   *Redemptor hominis* (Giovanni Paolo II, Karol Wojtyła)

LE   *Laborem exercens* (Giovanni Paolo II, Karol Wojtyła)

SRS   *Sollicitudo rei socialis* (Giovanni Paolo II, Karol Wojtyła)

CA   *Centesimus annus* (Giovanni Paolo II, Karol Wojtyła), non rientrando nel volume in questione, è citata non con il numero di pagina ma con il numero del paragrafo.

Le seguenti opere sono citate con la sigla corrispondente.

SD   *La scelta di Dio*, di Jean-Marie Lustiger

DC   *Il disagio della civiltà*, di Sigmund Freud

AI   *L'avvenire di un'illusione*, di Sigmund Freud

CN   *Il caso e la necessità*, di Jacques Monod

PEDC   *Per un'etica della conoscenza*, di Jacques Monod

LV   *La logica del vivente*, di François Jacob

EB   *Evoluzione e bricolage*, di François Jacob

JP   *Le jeu des possibles*, di François Jacob

DM   *Le desenchantement du monde*, di Marcel Gauchet

MCL   *Il movimento di Comunione e liberazione*, di Luigi Giussani.

Capitolo primo
La speranza e l'anatema

> Sisifo insegna la superiore fedeltà che nega gli dèi e solleva i macigni. Quest'universo ormai senza padrone non gli appare sterile né futile. Ogni grano di questa pietra, ogni bagliore minerale di questa montagna piena di notte, costituisce di per sé un mondo. Anche la lotta verso le cime basta a riempire il cuore di un uomo. Bisogna immaginare Sisifo felice
>
> ALBERT CAMUS

In questa fine di millennio l'Occidente estende ormai il suo dominio a ogni acqua e terra del globo ma, vittorioso, non diventa con ciò la verità ultima della storia né il migliore dei mondi possibili. Riformarlo, anzi, resta piú che mai la *ratio essendi* e il compito di ogni laico disincanto. La critica radicale dell'esistente, cioè, come premessa e promessa della sua trasformazione, come impegno e prassi di una approssimazione quotidiana – esigente e incontentabile – delle istituzioni ai proclamati ideali di giustizia e libertà. Qui e ora, da subito. Solo cosí, del resto, una società *aperta* onora l'antico detto, ai nostri giorni certamente inviso ai poteri costituiti: *nomina sunt consequentia rerum*.

Ma oggi è piuttosto la tònaca bianca di Karol Wojtyła, il papa di una dichiarata crociata oscurantista contro lo spirito critico e l'eredità dei lumi, ad essere acclamata da piú parti come l'unica voce di dissenso verso l'esistente «borghese», e con ciò accreditata come l'ultimo vessillo della critica, l'ultimo campione della contestazione culturale e sociale. Questa, in altri termini, la leggenda che per molti è buona novella: Karol Wojtyła, ovvero l'ultimo *maître à penser* fuori dal coro del conformismo pragmatico che è succeduto alla morte delle ideologie. L'ultimo paladino degli umili, dei senza potere, dei sanculotti dell'impero universale d'Occidente, rutilante caleidoscopio postmoderno, fantasmagorico di false libertà. Come tutte le leggende, anche questa si alimenta di corpose realtà.

La morte del comunismo, in effetti, ha reso l'Occidente orfano dei suoi alibi, di quel provvidenziale demonio che, per contrasto, lo assolveva. Nudo di fronte a se stesso. Gettato nello specchio delle sue contraddizioni, delle sue promesse non mantenute, dei sontuosi ideali sbandierati nei palazzi e nei giardini di ogni costituzione ma troppo spesso calpestati e svenduti nelle periferie dell'ingiustizia. Autonomia e benessere per tutti e per ciascuno, recitava il miracolo annunciato, e invece dilaga ancora la routine asimmetrica del privilegio: lo sfarzo pagano del natale nei quartieri alti, e il bambino di Rio cui è dato in dono solo il natale della sopravvivenza, strappata ogni giorno fra le immondizie.

L'Occidente non è affatto l'eden dei diritti dell'uomo. Senza rivali, non ha assicurato la pace al mondo, mentre sembra sinceramente insensibile all'abisso di un sud sempre piú povero. Ma neppure si affanna ad approssimare la giustizia dentro i tradizionali confini, visto che il primo mondo, anestetizzato dagli affanni del consumismo e dalla dismisura dell'edonismo, resta percorso da vecchie e nuove povertà e sfigurato da inedite emarginazioni, materiali e morali. Il nostro giardino delle delizie è anche società del vuoto, morta gora dell'indifferenza, deriva dell'effimero, naufragio del pensiero critico. Suona verosimile l'anatema, perciò: sotto gli auspici di un relativismo devastante e di un individualismo forsennato, l'Occidente è allo sbando, smarrito nell'arcipelago della mancanza di senso.

E invece. Questo verdetto – che è anche di Karol Wojtyła – costituisce il frutto di un preoccupante *qui pro quo*. Tutto vero lo smisurato carico di ingiustizie che ancora opprime questa valle di lacrime, infatti. Ma è altrettanto vero che la causa ne sia l'individualismo critico dell'Occidente? Ed è poi vero che l'Occidente questo mondo lo abbia già interamente conquistato? E quale Occidente, poi? Quello del dubbio sistematico e dello spirito eretico, o quello dell'imbecillità di massa all'ombra delle menzogne di governo? Quello degli individui senza divinità e senza dogmi, epperciò padroni di se stessi, o quello dei replicanti cullati da una soap opera e nutriti da un macdonald? Quello dell'impresa come innovazione e rischio, o quello dei trafficanti d'armi e dei mercanti di eroina? E cosa ci assicura che si tratti dello stesso Occidente? Di un unico indivisibile e solidale Occidente dove tutto inestricabilmente si tiene, e dove non si può coltivare e sviluppare un aspetto senza accrescere e alimentare anche l'altro? Dove sta scritto che l'Occidente di Montaigne o del Primo emendamento non sia separabile da quello di Dynasty e della mafia?

È vero soprattutto il contrario, piuttosto. L'Occidente dei lumi e dei diritti civili resta ancora largamente da conquistare. La democrazia da prendere sul serio. *Questo* virtuale Occidente vale perciò piú che mai come la concreta utopia da approssimare, come idea regolativa di un *fare* che sia *riformare*.

In altri termini: in questi tempi di apparente omologazione, l'Occidente si rivela l'unico autentico antagonista di se stesso. L'Occidente è crisi, conflitto, lacerazione, infatti. Da sempre vive una doppia vita, sperimenta una doppia natura, è campo aperto dove due anime abissalmente diverse si disputano la comune vocazione a trasformare un frammento di mondo nel mondo intero. Non si

tratta perciò della medesima colonizzazione. I contenuti e
i modi della universalizzazione sono infatti parte essenziale del conflitto. Due Occidenti, insomma. E *quale* Occidente, fra essi, è poi la posta in gioco segreta della storia
occidentale e dei nostri anni prossimi venturi. Sommariamente ma con ordine, perciò.

Il disincanto tradito.

Il progetto della modernità è progetto di potenza, certamente, ma unitario e inscindibile nella sua *duplice* promessa. Miscelando scienza ed eresia, l'alambicco del disincanto distilla un solo inestricabile orizzonte che ab-
braccia tanto il dominio del genere umano sulla natura
quanto la nascita dell'individuo simmetrico per dignità.
Di modo che l'effettualità della modernità si rivela come
scarto. Tra la promessa effettivamente mantenuta e quella
tuttora disattesa. Da un lato il trionfale dispiegarsi del
progresso scientifico in alluvionale potenza tecnica, che
rende rapidamente obsoleta la fantascienza, la confonde
con la cronaca, la costringe a sempre piú smisurata inven-
tiva. E dall'altra i fallimenti, gli arretramenti, il faticoso ar-
rancare, che è anche sempre doloroso ed appassionante
combattere, del progetto di autonomia dell'individuo,
dell'esaustivo diffondersi di quelle libertà per tutti e per
ciascuno, almeno altrettanto essenziali alla potenza (cioè
autonomia) dell'uomo di quanto non lo sia la tecnica. La
realizzazione dell'individuo resta anzi un irrinunciabile
prius logico: non si dà modernità se non viene approssimato un universo della convivenza dove ogni irriducibile
ciascuno attinga concretamente valore in sé, invece di
scoprirsi irrimediabilmente gettato in un ruolo sociale che

vale come destino naturale, come articolazione organica di una cosmica volontà metafisica.

Il progetto della modernità è unitario, dunque, perché esprime un'unica e conchiusa volontà di sottrarsi all'esistenza come destino. Il rifiuto della fatalità si dirige contro entrambi i volti con cui essa muove incontro alla scimmia nuda e *sapiens* fin dalla nascita e ne accompagna poi l'intero corso della vita: l'incombere catastrofico del cosmo, cioè l'*onnipotente* minaccia della natura, e la canonizzata sopraffazione della comunità sul singolo, totalmente debitore di senso al decreto imperscrutabile della divinità che nel *nomos* della collettività prende voce.

In altri termini. Il progetto di riscatto della modernità ha un solo nome *essenziale*, autonomia, cioè costituzione dell'uomo, di *ogni* uomo, in soggetto. Protagonista ormai di un creato che non si riconosce piú come tale, come cosmo assegnato da un Dio sovrano alla cura (e all'obbedienza) del suo vicario, l'uomo fatto a sua immagine e somiglianza. L'uomo diventa centro del mondo, protagonista e sovrano del *suo* mondo, proprio solo e quando accetta, e anzi *decide*, di essere sloggiato dal centro di un universo per lui già da sempre apparecchiato dal Dio. Quando lucidamente accoglie il sobrio testamento che gli consegna in eredità il caso e la finitezza.

Tale progetto ha perciò senso e *misura* esclusivamente in quanto restino inscindibili i due aspetti richiamati. Se sopravvive solo il dilagare della tecnica, invece, l'orizzonte del progetto trascolora e il suo senso rischia la perversione, poiché in tal modo si eclissa proprio il soggetto del progetto, l'irriducibile *ciascuno* che tutti noi siamo (dovremmo essere, possiamo essere). Se il potere del singolo sul proprio essere-insieme, la sua autonomia come volontà di con-vivenza, le sue libertà come potere con-diviso, restano largamente disattesi e manomessi, infatti, e valgono come fragile privilegio iniquamente distribuito, allora l'assoggettamento materiale del mondo assume un inquietante andamento esponenziale, perché la volontà di conoscenza, sottratta all'autonomia del ciascuno, si trasmuta ed esaurisce in volontà di potenza tecnica monopolizzata da *ipostasi* dell'uomo (Nazione, Stato, Impero).

Sotto il decisivo profilo del rapporto fra uomo e uomo, del rapporto sociale, la modernità è dunque scarto in quanto attraversata e percorsa dal conflitto fra l'esistenza progettata all'insegna della *volontà di critica* – e dunque combattuta, messa in gioco, e con ciò resa autentica, in quanto approssimazione di *questo* progetto – e l'esistenza dissipata nel luna park della *volontà di conformismo*, tra il consolatorio frastuono del tempo libero e l'anestetizzante sabba dei miracoli tecnologici. Dove il progresso del genere umano (e altri soggetti collettivi nei quali si perde l'irriproducibile ciascuno) in termini di dominio sulla natura non può risarcire ma semmai occultare la perdurante minorità del singolo, promesso a una *cittadinanza* che resta dimezzata.

Perciò la tanto acclamata volontà di potenza è verità *penultima* della modernità, poiché vale a sua volta come accattivante maschera di una più profonda *volontà di rassegnazione*. Quella in virtú della quale il singolo rinuncia alla sua identità più propria, e al disagio della finitezza che l'accompagna, nell'illusione di accedere all'onnipotenza integrandosi e annullandosi nel genere, sanzionandosi così come mera *replica* di una presunta essenza umana.

Ma tale scarto, fra promessa e realtà, fra individuo *approssimato* nell'esistenza irripetibile della con-vivenza e nella simmetria della dignità e del potere con-diviso, e individuo *dileguato* nel frammento organico del replicante e assoggettato alla dismisura della tecnica, viene poi rimosso interpretandolo come destino, come contrappasso magari, per la pretesa follia del progettarsi autonomo dell'uomo. Il demone della tecnica che ormai lo possiede e trastulla, sarebbe per l'uomo la punizione estrema per il peccato inespiabile, il peccato di orgoglio. Il tentativo di sottrarsi al destino, di impadronirsene e produrlo, viene dunque irriso come ancora piú cieco precipitarsi in un ancora piú travolgente fato, da cui solo un Dio ci può salvare.

Ma è di nuovo e solo la modernità come scarto a manifestarsi appieno in tale interpretazione, versione estrema e sofisticata dell'irrisione romantica contro la scienza che da sempre costituisce il *doppio* oscuro della modernità, quello che in apparenza teme la tecnica ma che soprattutto ha in orrore l'individuo. E che predica il rifiuto di una modernità spacciata come compiuta, mentre in realtà si nutre della modernità *elusa*.

Perciò, proprio nell'ora della sua apparente realizzazione, suona piú che mai ingannevole la nostalgica profezia dell'incantatore di Messkirch, che intese svelare, favoleggiando, l'equivalenza metafisica di America e Russia, entrambe in preda al delirio della tecnica, unica esaustiva dimensione della modernità.

Quella opposizione non era affatto apparente, per cominciare. Chi ha sperimentato i cantieri dell'uomo nuovo e altre delizie totalitarie, resterà ottusamente insensibile e ostinatamente sospettoso di fronte a siffatte equivalenze metafisiche, e tenacemente affezionato alle differenze anche piú sottili – ad esempio: fra le ingiustizie dello sviluppo capitalista e gli orrori dello sfruttamento da nomenklatura – all'interno di quell'unico esperibile Tutto che è la vita individuale, l'esistenza concreta e irripetibile che a ciascuno è data nella incerta durata di una certa finitezza.

Il pastore dell'Essere è d'altronde un habitué di tali metafisiche o essenziali equivalenze: «L'agricoltura è og-

gi industria motorizzata della nutrizione, che per essenza
è identica alla fabbricazione di cadaveri nelle camere a gas
e nei campi di sterminio, identica al blocco e all'affama-
mento dei paesi, identica alla fabbricazione di bombe
all'idrogeno» (cosí in una conferenza pubblica del 1949,
secondo la testimonianza di W. Schirmacher, *Technik
und Gelassenheit-Zeitkritik nach Heidegger*, Freiburg
1983, p. 25). Kellog's e Simmenthal come Himmler e
Eichmann. Per chi le assaggia, tali equivalenze essenziali
gridano vendetta e capestro, si sia pure mille volte essenzialmente contrari alla pena di morte.

L'individuo contro l'individualismo.

E soprattutto. La contrapposizione fra Oriente e Occidente troppo a lungo ha oscurato ieri (come la teoria del-
l'omologazione di entrambi sotto la dismisura della tecnica cerca di oscurare oggi) la piú profonda frattura che da
sempre attraversa la modernità, la opposizione reale fra
due irriducibili soggetti, il falso e il vero individuo: l'individuo immaginario dell'*ideologia* individualista, mero replicante schiacciato nella unidimensionalità del trafficare,
e l'individuo concreto dell'esistenza libertaria, della finitezza consapevole, dell'autonomia da approssimare *instancabilmente* (quel Sisifo che Albert Camus ci chiede di
immaginare *felice*). L'individuo della con-vivenza e del
potere con-diviso, dei molteplici piani di esistenza, del
controllo su di sé e perciò del limite e della misura critica,
capace dunque di sfuggire alla maledizione del delirio di
onnipotenza, che in realtà *sottrae* la potenza al ciascuno,
facendolo zimbello in balía dell'amigdala nucleare e della
selce informatica. Dunque, l'individuo della *sobrietà di
potenza*.

È del tutto falso, perciò, che l'Occidente stia *precipitando* nell'abisso della propria vittoria, stia avvitandosi nelle antinomie della propria *realizzazione*. Al contrario. Sta declinando perché sembra aver rinunciato a ciò che fin qui è rimasto progetto inattuato, e che costituisce il cuore ineludibile della modernità, l'essere-insieme come autonomia solidale di ogni esistenza. Sta declinando perché sembra rassegnato ad eleggere dimora unicamente nello sviluppo tecnico, illusorio risarcimento attraverso un mezzo promosso a fine. Sta declinando perché non ha saputo prendere sul serio e tenere fermo il proprio progetto nella sua interezza, e depurandolo semmai dalle maiuscole che lo assediavano, dai surrogati di religione e incantamento che lo inquinavano (Progresso, Totalità, Umanità, Scienza, Fine della Storia). Ma solo il confortevole pregiudizio di una filosofia opaca o di una consolante teologia può decretare che sia destino la perdurante eclissi dell'individuo autonomo, la sua vita in filigrana.

E infine: l'Occidente sta declinando, eventualmente, perché affatturato dal miraggio di tornare ad affidarsi agli dei antichi di sperimentate superstizioni o agli oscurantisti negromanti di nuove officine alchemiche. Invece di assumere lo scarto, e decidersi per l'intransigenza paziente di un ri-formare che quello scarto restringa, l'Occidente sembra esitare tra la rassegnazione all'esistente nella forma di un rifiuto della modernità che in apparenza la demonizza ma intanto la lascia tale e quale, e la rassegnazione *tout court* nella forma dell'apologia chiassosamente e ottusamente euforica. Mentre si tratta di riportare la tecnica a mezzo, a potere-insieme dell'essere-insieme, realizzando (approssimando) il soggetto promesso della modernità: non l'Uomo ma gli *uomini*, la pluralità che copre la terra (Hannah Arendt, *The human condition*, trad. it. *Vita activa*, Bompiani, Milano 1989, p. 7).

E invece. Ai papi della fede positiva e agli intellettuali dell'apologia negativa, la modernità è cruccio. Epperciò, anziché criticarla, la condannano. Di fronte alla disperante difficoltà di approssimare le sue promesse, preferiscono rifugiarsi nell'oblio del rifiuto escatologico o nella fuga di una mondana e catartica fine della storia. Distrazioni innocue solo in apparenza, poiché dissipando l'indignazione nella palude di chiliasmi piú o meno trascendenti, cresimano di fatalità le menzogne dell'esistente e promuovono l'apatia a virtú cardinale. Malgrado ogni apparenza contraria.

Essere individui *stanca*, perciò, e soprattutto battersi per realizzarsi tali. Ma proprio sulla pietra di questa fatica, che rende già ansiosi di congedo da una modernità solo unilateralmente assaggiata, vengono costruite le consolatorie chiese della rassegnazione post moderna, teologiche o ideologiche che siano. Epperò: la rassegnazione conosce anche la via opposta. Anziché sazio, quello stesso uomo si esibisce euforico di modernità, ma nello stordimento dell'evasione anch'essa massificata. Ciclotimia della modernità fin qui *sottratta* (dimezzata, almeno). L'uomo di oggi crede perciò di essere sazio della modernità, mentre in realtà è fiaccato solo dalla forma amputata in cui gli è concesso di essere individuo, sfigurata esperienza di una solitudine massificata, contro la quale suona richiamo irresistibile la diana del vincolo tradizionale: di sangue di terra e di fede. Perché la perdita secca e fin qui non risarcita si chiama distruzione della identità e della sicurezza che viene dalle certezze del dogma e dalla vincolante assegnazione ad un ruolo simbolico e sociale.

Se non vuole convertirsi in stanchezza e menzogna, allora, la critica deve essere propedeutica all'impegno riformatore, coincidere con la passione per il relativo, e soprattutto consentire quelle possibilità di smentita da cui le filosofie dell'anatema e altre sommarie condanne teologiche sono invece esentate.

Post-modernità è allora il non-nome dell'esorcismo con cui ci sforziamo di rimuovere la rinuncia all'obiettivo della modernità *intera* che ancora traluce davanti a noi, e con il quale battezziamo forse l'oscura colpa e disagio per la destrezza ideologica con cui ci infliggiamo autoinganno.

La negazione innocua.

Ricapitoliamo. La denuncia appassionata e perfino lucida dei mali della modernità, reiterata oggi dalla cattedra di Pietro ma elaborata ieri dal pulpito di Francoforte, troppo spesso si accompagna ad una diagnosi fuorviante che li mette surrettiziamente in conto all'individuo realizzato e insofferente di trascendenza, all'autonomia dei lumi, e insomma proprio a ciò che brilla di eclissi. In tal modo si produce una contestazione *innocua* che porta alla dissipazione dell'indignazione, e mette capo ad un'apologia inconsapevole.

Ad esempio. Nella finitezza del disincanto, dove il male e il dolore galleggiano sull'oceano di ormai assenti disegni provvidenziali, grida vendetta l'ingiustizia non piú redimibile. E il dialettico negativo ha buon gioco nel minimizzare o insolentire la libertà di espressione (e altre libertà «borghesi») come autoinganno, capace soprattutto di metabolizzare ogni iniquità. L'ingiustizia viene bensí liberamente denunciata, infatti, ma gettandocela in faccia come *spettacolo* iperrealistico, benché crudele. Finzione estrema, dunque. Si tratterebbe perciò di una *falsa* libertà, perché addirittura capace di mitridatizzare la nostra capacità d'indignazione. Questa critica, largamente fondata, dimentica qualcosa di essenziale, però. L'esorcismo catodico, infatti (e posto che solo di ciò si tratti quando i mass media denunciano) lascia comunque sopravvivere, ed anzi alimenta, il senso di colpa per quel peccato originale di genere *inaudito* che caratterizza la modernità: il peccato dell'*ipocrisia*.

Solo la modernità non è quello che dichiara e promette di essere, infatti. Ogni altra epoca i suoi orrori li ha perfino esibiti con orgoglio (è festa grande la minuziosa tortura delle pene capitali, e il sacro mattatoio dei sacrifici umani), poiché *nomos* di provvidenza e necessità di fato (e ogni speranza di vita diversa rinviata alla valle di Giosafat).

Non la modernità. Che della sua ipocrisia non sa però darsi pace, benché proprio nei suoi momenti di più alta e disvelante allucinazione – tra Basilea l'Alta Engadina e Torino – si racconti come inesauribile stratificazione di maschere sovrapposte. Se l'orgoglio era il peccato contro lo Spirito (santo) l'ipocrisia è allora il peccato contro lo spirito critico, cioè lo spirito santo della modernità. Tanto grave che non è neppure pronunciabile, e per esorcizzarlo viene anzi teorizzato (non solo da Nietzsche) come fondamento e verità ineludibile della modernità stessa. Il segreto di questo inestinguibile senso di colpa *moderno* è semplice: la modernità, infatti, non è in grado di promettere e poi rinviare. Nel suo fondaco di finitezza non c'è spazio per il deus ex machina di un aldilà. Di più. La promessa secolarizzata non regge il rinvio nemmeno nella forma atea del millenarismo rivoluzionario. Che fin troppo a lungo, anzi, ha vissuto di rendita come surrogato della religione. Dentro il cerchio del disincanto l'alternativa è secca: o realizzazione, o regresso in una superstizione che occulti e consoli. Che è quanto sta avvenendo.

La modernità diventa sazia di domande, infatti, perché

anoressica di adempimenti pratici, di coerenza fra le risposte da tempo elaborate e un fare che latita. Il dubbio che frantuma dogmi e spezza appartenenze può essere indossato con orgoglio, ma in quanto sia anche preludio alla costruzione di una convivenza non solo libera dalla ripetitività della tradizione ma ricca della simmetria democratica. Cioè di un potere con-diviso, e in un duplice senso.

Primo: un potere frammentato in un geloso aggiornamento delle *balances des pouvoirs*, che lo costringa a rispettare per primo la legalità (unica ma irrinunciabile moralità che si richiede ai governi) e sia d'ostacolo al suo arroccarsi in «Palazzo» partitocratico e al suo catafrarsi in monopolio dei politici di mestiere. Secondo, un potere *diffuso* presso ciascun cittadino, quali che siano le forme che egli sceglierà per esercitarlo (il part time del militantismo o di un mandato non rinnovabile, il bricolage di un controllo effettivamente influente, e perfino la non partecipazione, purché ponderata).

Senza la realtà di questa duplice con-divisione, l'irrinunciabile formalismo giuridico della democrazia dei moderni scolora in *finzione*, cioè negazione di quel formalismo invece che sua approssimazione: lobotomizzazione della democrazia. In un contesto di *democrazia presa sul serio*, dunque, il dubbio con-vissuto può diventare identità piú ricca, tolleranza creatrice di un inedito benché fragile e mondano senso, alternativa al paradiso di tranquillizzanti servitú perdute. Senza farsi istituzione di vita comune, solidarietà di *individui*, la tolleranza regredisce invece a puro e semplice spaesamento, a mero lemure gnoseologico che si avvita nel buco nero dei mentitori cretesi, e di altre manne paradossali per i tifosi di ogni ortodossia.

La falsa libertà è perciò proprio quella della dialettica negativa, che disconosce lo scarto spacciandolo per realizzazione, e in tal modo si installa accigliata ma innocua nel conformismo di una prassi astenica di riforme. O quella del sacro fuoco teologico, che imputa la mancanza di risposte alla dismisura dello spirito critico, restio a piegarsi di fronte al mistero. Quasi che riconoscere l'incombere del mistero obblighi ad abbracciare anche il dogma, che del mistero è semmai negazione, poiché lo risolve confezionato in giaculatorie di salvezza.

Potremmo anche riassumere diversamente: la modernità è una gigantesca teomachia, ancora in corso. Contro un Dio peraltro assente, ormai, e che ogni qualvolta vada in pezzi o in eclissi l'irrinunciabile spirale di coerenza tra criticare e riformare, si riaffaccia come bisogno e miraggio di appartenenze, si tratti di sirene organiche di terra e sangue o di piú spirituali comunità.

Il presente e il dileguare.

Beninteso: anche la modernità ha bisogno di speranza. Ma poiché la sua lucidità costitutiva si chiama finitezza, cioè una dichiarata rinuncia ai futuri consolatorî, vuoi nel settimo cielo delle scommesse pascaliane che nel paradiso in terra dello stakanovismo senza classi, la speranza non può essere quella della lotteria o del miracolo. Deve essere una speranza nella dimensione concreta del *presente*. Sarà speranza autentica, però, solo se farà tutt'uno con l'orizzonte di rischio e di incertezza che caratterizza, anche ed essenzialmente, il *fare*. Diventerà speranza che uccide la speranza, invece, se funzionerà come *surrogato* del presente e fuga da esso. La modernità incapace di coerenza è tentata infatti dalla speranza a qualsiasi prezzo. Distinguiamo accuratamente, perciò, due realtà esistenziali assolutamente antinomiche: la speranza/speranza e la speranza/illusione.

Quest'ultima parte avvantaggiata. L'oro zecchino dei domani che cantano (eterni cori angelici o rivoluzioni finali) farà sempre aggio sulle banconote della finitezza. Ma verrà poi frustrato. Il disincanto della modernità svela infatti come chimere entrambe le versioni (trascendente e mondana) della speranza/eternità. Costretta a svanire, essa si disfrena nel can can del risentimento contro la speranza *sobria* della passione per il relativo. La speranza/illusione/eternità è ossessionata dal bisogno di dimostrare che anche la speranza sobria del progetto finito ed esposto allo scacco è mera illusione. Che è follia prendere sul serio il progetto della modernità, e cercare di approssimare, qui e ora, gli ideali di autonomia umana e convivenza democratica che possono dare senso al relativo e ricchezza al quasi nulla dell'esistenza finita. Contro questa possibilità, che spaventa poiché non è certezza ma rischio, ogni rifugio diventa buono. E se ieri fu comunismo, oggi può chiamarsi ritorno al cristianesimo e magari ecologia, e pacifismo e femminismo e multietnicità, purché si tratti di una identità possessiva, che sciolga l'angoscia di essere individui nel cullante conformismo amniotico della comunità.

Si tratta, comunque, di una *reazione*, che avendo fallito l'*essere-per*, cioè il vivere-con gli altri in una comune rinuncia alla pretesa di Verità ultime, radica la propria identità nell'assunzione di un nemico ipostatizzato, sia esso l'ateo illuminista individualista edonista o il maschio bianco occidentale eterosessuale, e si esaurisce dunque nella fantasmatica e increativa unità dell'*essere-contro*, ad umiliazione del concreto singolare irripetibile progetto che ciascuno può essere.

Chi controlla il passato controlla il presente, proclamava un orwelliano Grande fratello all'epoca trionfante delle grandi narrazioni ideologiche. Già allora era vero, tuttavia, che il presente lo si controlla anche disponendo del futuro, ipotecando l'universo della speranza. E tanto piú vero diviene oggi, in epoca di ideologie trascorse, poiché chi monopolizza la speranza governa l'effettivo radicamento della identità. Il *chi* del soggetto è ormai determinato assai piú da ciò che ciascuno *si attende* di essere, che da ciò che socialmente oggi è, tanto piú quando l'essere sociale si frammenta e l'identità individuale diventa un mosaico i cui pezzi appartengono a differenti sfere dell'esistenza, per lo piú «immateriali».

La speranza/illusione come evasione dal presente si presenta oggi sotto due diverse versioni. Quella dei futuri fantasmatici di ogni fede ortodossia e fuga, abbiamo visto. Ma poi, quello simmetrico e spiritualmente ancora piú povero dell'immersione nel presente come dimensione zero che tutto possiede e metabolizza. E infatti. La dispersione e la dissipazione dell'individuo nel presente appiattito e massificato della disinformazione spettacolo, della politica avanspettacolo, e dello spettacolo senza intelligenza, non consegna a ciascuno il presente come salda dimensione progettuale dell'esistenza, bensí lo sottrae proprio all'individuo concreto, perché vanifica il presente in *distrazione*.

Se però a disputarsi il presente sono solo due forme speculari della sua sottrazione, ovvio che ritorni anche la distrazione piú classica e meno effimera. La moneta cattiva caccia quella buona, ma nella circolazione delle compensazioni illusorie accade il contrario: l'oppio migliore caccia spesso quello piú scadente. E la religione torna a divenire la *speranza dei popoli* proprio perche è l'oppio degli individui, piú che mai ed essenzialmente. Ma chi si rassegna all'idea che solo le religioni siano oggi in grado di assumere il futuro, e dare dunque senso al presente, non si meravigli se a trionfare saranno poi i fondamentalismi, poiché essi restano la verità delle religioni, in quanto irrinunciabile pretesa alla maiuscola della Verità ultima e fondante.

Possediamo a questo punto gli elementi per afferrare il conflitto decisivo della modernità, che oggi viene finalmente alla luce, piú decisivo dei conflitti appena dissolti fra Oriente e Occidente: il conflitto fra il dire e il fare, fra l'Occidente dei valori solennemente proclamati e quello degli establishment e della loro prassi di ipocrisia.

Nella rimozione di questo conflitto, e nella alimentazione dello stesso, si è consumato in questi anni il fallimento dei laici in politica (meglio: l'eclissi, poiché si spera sia fallimento provvisorio e reversibile). Alla prova dei fatti, delle pratiche di potere, nulla o quasi è sembrato distinguere piú la sinistra dalla destra. E di fronte alle nuove sfide, alle nuove ingiustizie, alle nuove povertà, alle nuove arroganze, sembra a molti che solo dentro ai gruppi e alle associazioni cristiane (alcuni, almeno) si manifesti una capacità di *fare* qualcosa. Di riformare, di migliorare, di alleviare. Troppe volte sembra che i laici e la sinistra non siano in realtà nemmeno piú capaci di *dire*, di indicare i problemi. Il loro parlare sembra al massimo *chiacchiera*.

Il papa del malinteso.

È sullo sfondo di questo fallimento, allora, che prende a giganteggiare la figura di papa Wojtyła, osannato ieri come papa della giustizia, ieri l'altro come papa della pace, sempre e comunque come il papa degli oppressi.

Negli interventi di Giovanni Paolo II durante la guerra del Golfo, e poi nell'enciclica *Centesimus annus*, si è voluta vedere l'unica lettura *lucida* della caduta del muro di Berlino e delle sue conseguenze. Di fronte ai nuovi apologeti del capitalismo e ai convertiti nelle virtú dello stile di vita americano, solo il successore di Pietro avrebbe saputo sottolineare le contraddizioni e i limiti dell'Occidente anche dopo la rivoluzione anticomunista del 1989 e la fine dei totalitarismi. Tanto piú credibile, la voce del romano pontefice, in quanto appartiene a colui che può vantare come proprio successo la fine storica dei comunismi. La voce del vincitore, insomma. Insospettabile di risentimento. Ma capace, anche, di sottrarsi alle lusinghe del trionfalismo.

Papa della pace, della giustizia sociale, della lucidità e della critica di fronte all'esistente, Karol Wojtyła è riuscito a imporsi anche come il pastore che è «dalla parte dell'uomo», e che, al di là delle distinzioni religiose e delle divisioni ideologiche, sa dar voce alle inquietudini dell'uomo moderno, osa le domande che nessuno piú pone e proclama le risposte che nessuno piú osa.

A torto, però. Questa immagine al tempo stesso trionfante e pensosa, accattivante di tolleranza e di certezze, è in realtà il frutto di diffuse rimozioni, proprio nel senso di Freud. Karol Wojtyła è innanzitutto il papa degli equivoci e del malinteso, infatti. Non a caso, coloro che lo hanno acriticamente esaltato come il campione di una nuova emancipazione, sono poi precipitati in abissi di delusione di fronte alle reiterate pretese repressive e sessuofobiche di Giovanni Paolo II in materia di morale. Ma gli equivoci non riguardano poi solo il sesso. Vediamo.

È verissimo che la fine dei marxismi (in virtú della quale Marx torna ad essere un classico fra gli altri, da leggere e rileggere, approfondire e criticare, ma non piú chiave privilegiata per decifrare l'esistente, né tantomeno utensile per cambiarlo) non elimina dal mondo le situazioni di oppressione e di ingiustizia che hanno innalzato il marxismo a ideologia del secolo. Ed è altrettanto vero che a coloro che oggi sono in cerca di una nuova teoria e prassi di liberazione la chiesa puo vantarsi di offrire non solo la propria dottrina sociale (peraltro assai vaga e inconsistente, vedremo), ma anche il suo concreto impegno ed aiuto per combattere l'emarginazione e la sofferenza.

Anzi. Troppo spesso il volontariato di matrice cristiana o legato alle istituzioni cattoliche, appare la sola risposta di azione concreta contro le ingiustizie estreme della metropoli moderna, e il laico è ferito dal dubbio che senza fede non sia possibile che eccezionalmente la generosità di una moderna filantropia e l'impegno personale del riformare. Fare del papa la propria bandiera di passione contro le ingiustizie sembra dunque a prima vista piú che sensato. Ma Wojtyła torna poi a fulminare di anatema la pillola e perfino il preservativo, e a predicare con macabra inopportunità la felicità della famiglia numerosa nelle favelas di Rio, nei deserti del Sahel e in altre gehenne del piú spietato darwinismo sociale, dove predicare alti tassi di natalità equivale alla condanna a morte, fra torture e pianti, di milioni di bambini. Il laico si ricrede, perciò, e nella sua coscienza costernata Karol Wojtyła passa dalla apoteosi al rifiuto.

Questo pendolo emotivo del mondo laico e della sinistra è in realtà privo di qualsiasi giustificazione, poiché tutto si può imputare a papa Wojtyła la ma non certo la mancanza di coerenza. Il papa polacco ha esposto il suo programma senza perifrasi e accomodamenti diplomatici fin dalla sua elezione, e ad esso si è mantenuto fedele malgrado ogni insuccesso e, soprattutto, malgrado ogni *successo*. Per il papa polacco i campi di sterminio, la tortura, la distruzione dell'ecologia del pianeta vengono bensí considerati i grandi crimini del secolo, ma al pari dell'aborto e della contraccezione. Un punto di vista che sarà costantemente, solennemente, polemicamente ribadito ad ogni occasione. Ma questa opinione, ad assumerla con serietà (il minimo che le parole del papa esigano) significa quanto segue: una donna che abbia abortito e un SS che abbia gettato bambini ebrei nei forni di Auschwitz vanno posti su un identico piano di condanna morale, poiché hanno compiuto il medesimo abominio di cancellare delle vite.

Questa la filosofia *essenziale* del papa «progressista». Chi vuole condividerla si accomodi, ma senza le ipocrite acrobazie dei «distinguo».

Il primo equivoco fu quello di vedere in Karol Wojtyła il papa dell'antitotalitarismo. La sinistra europea (quella francese con qualche anticipo, quella del comunismo italiano con enormi ritardi e perduranti reticenze) aveva appena scoperto nell'antitotalitarismo una sua necessaria e irrinunciabile bandiera. Per decenni, tuttavia, a pronunciare il termine e a combattere la cosa erano state, a sinistra, solo esigue minoranze. Era forte la tentazione, dunque, di pagare le colpe passate esaltando *ogni* critica presente dei regimi dell'est, e illudendosi che tutte fossero animate da analoghe motivazioni libertarie.

Ma papa Giovanni Paolo II non era affatto un antitotalitario. Non lo era, almeno, *innanzittutto e per lo piú*. Era *anche* contro il totalitarismo comunista, ma in quanto ateo e negatore del primo e fondamentale diritto dell'uomo: il diritto alla religione. E del suo corollario: una libera pratica del cristianesimo. Libera e *privilegiata*, anzi, poiché in nome della «dignità dell'uomo» Wojtyła rivendicherà (e ha sempre rivendicato) che in materia di matrimonio, aborto, contraccezione, sessualità, pornografia, educazione scolastica, manipolazione genetica, eutanasia (e via allargando le pretese) le leggi di ogni Stato debbano conformarsi ai dogmi di santa romana chiesa e agli ukase del Vaticano.

Beninteso: la presenza di un polacco sul soglio di Pietro ha giocato un ruolo straordinario nella crescita del dissenso in Polonia e nelle battaglie di Solidarność. Ovvio l'entusiasmo e la riconoscenza anche della cultura laica antitotalitaria di Varsavia e Cracovia, perciò. Si faccia attenzione, tuttavia. Il dissenso polacco dei Kuroń, Modzelewski, Geremek e Michnik, come quello ungherese dei Kis, Harazsty e Vasharely, o quello cecoslovacco di Havel, avevano elaborato una strategia di opposizione completamente incentrata sui diritti umani e civili. Comprese le libertà religiose, ovviamente. La sintonia con il papa *sembrava* completa. Ma per Karol Wojtyła i diritti umani e civili sono il corollario e non la premessa dei diritti religiosi. Sfrattate dagli edifici pubblici le falci e i martelli, i vescovi polacchi hanno preteso i crocefissi *obbligatori*. L'incantesimo era rotto, il malinteso veniva alla luce del sole.

Il secondo equivoco, del resto, è quello di Wojtyła / San Giorgio, *vincitore* del drago comunista. Del contributo di Wojtyła a Solidarność abbiamo detto. Ma non è stato il cristianesimo, in realtà, a far crollare il muro di Berlino e a disperdere decenni di comunismo, bensí la talpa della modernità, compresi i miti del consumismo e dell'edonismo tanto invisi a Wojtyła.

Di piú. Il totalitarismo è stato in realtà l'ultimo e disperato tentativo «religioso» di sventare l'individuo, di combattere l'autonomia del *ciascuno*. Il segreto piú autentico del totalitarismo non è l'ateismo ma la volontà di soppressione dell'individuo concreto, che è sempre e solo *frammento*, in favore della dispotica comunione e della indifferenza. L'integralismo cattolico *appare* il nemico del totalitarismo ma ne è solo il concorrente, perché entrambi rifiutano in radice proprio l'irriducibile essere umano nella sua singolarità e l'autodeterminazione della sua propria

esistenza. Il comunismo è stato il contraddittorio surrogato di una religione, ma il cattolicesimo crociato del papa
polacco rischia di avere successo soprattutto come surrogato di un surrogato di un ormai improponibile santo
graal, presso coloro che vivono con terrore panico le libertà (e le responsabilità) del disincanto.

«*Extra Ecclesiam nulla salus*».

Il papa di Roma è oggi l'unico ad avere un'idea chiara
di Europa, ed è questo un innegabile vantaggio, mentre la
seconda Europa va in pezzi tra ricorrenti massacri e la prima entra in una stagione di tentazioni centrifughe. Ma
questa idea chiara si chiama poi nuova evangelizzazione,
ricristianizzazione, cioè restaurazione di oscurantismi,
poiché le tragedie del secolo che si chiude, e quelle nuove
che anticipano il prossimo, vengono da Karol Wojtyła
messe in conto all'illuminismo, allo spirito critico, alla secolarizzazione, insomma all'idea di un cittadino che possa
fare a meno di Dio. Mentre nascono, all'opposto, dalla
cittadinanza *incompiuta*, dal disincanto *tradito*. Da un deficit di realizzazioni libertarie, non da un eccesso.

La morte dei comunismi non santifica l'Occidente realmente esistente, abbiamo visto, ma in nessun modo giustifica il sabba oscurantistico che confonde la critica delle
vecchie e nuove ingiustizie occidentali, e delle occidentali
ipocrisie, con la liquidazione dello spirito critico e la restaurazione dell'obbedienza per fede. La sovranità di
Dio, al posto della sovranità delle concrete individuali esistenze, promette solo un moltiplicarsi di Khomeini per il
secolo che viene.

Dal punto di vista metafisico si equivalevano Russia e
America, in balía della hybris tecnica, Castore e Polluce di

una autodistruzione del mondo dalla quale solo un dio ci può salvare, e che già ai tempi della polis era fatale destino. Cosí la piú autorevole filosofia del nostro secolo. Non molto diverso l'anatema del successore di Pietro contro la modernità.

Il successo di Wojtyła si spiega con il *monopolio della speranza* che gli orrori dei comunismi da una parte, e le incoerenze della democrazia laica dall'altra, gli hanno regalato. Un successo che vedrà ancora alternarsi delirio di entusiasmi e abisso di delusioni, poiché dalla cattedra di Pietro nessuna risposta viene, che sia all'altezza dei problemi e delle angosce del tempo. Ma un successo che rinascerà dalle sue ceneri, almeno fino a quando il partito della speranza (poiché questo è sempre stata la sinistra) non saprà sostituire le fallimentari ideologie d'antan con la coerenza fra il dire e il fare, con la politica della «democrazia presa sul serio», invece di arenarsi nelle secche della pura e semplice occupazione del potere.

Il piú cattolico dei papi, che vuole riconvertire il mondo e rievangelizzare le metropoli, che si oppone all'Occidente pandemonio di consumismo e gehenna di edonismo, deve infatti il suo successo non già alla dottrina cattolica di cui è depositario, né tanto meno ai precetti evangelici, che hanno sempre avuto scarso corso nei secoli delle segrete vaticane, bensí al suo ruolo di *vero ideologo dei nostri tempi*. Affrontiamo pure il paradosso.

Extra Ecclesiam nulla salus, ci si accontentava un tempo. Wojtyła pretende invece che fuori della Chiesa non vi sia neppure libertà, e neppure autentica umanità. L'uomo, o è cattolico apostolico romano, o non è. Mai l'integralismo aveva celebrato banchetti piú fastosi, dai tempi del *Sillabo* in qua. Del resto: per il papa i vizi del comunismo e quelli delle società occidentali hanno la stessa mala radice: il pensiero critico, i lumi, il razionalismo e l'ateismo. Questo, per Wojtyła il solo vero crimine della modernità: la pretesa dell'uomo di darsi una propria legge. L'autonomia dell'uomo. Immanuel Kant, insomma. Sotto questo profilo, edonismo e totalitarismo possono scambiarsi i ruoli. Il piacere è alla radice di ogni male. La vecchia ossessione sessuofobica paolina riemerge con virulenza da una contrastata parentesi carsica. E il prete del terzo millennio secondo Wojtyła dovrà essere *casto e anticapitalista* («La Stampa», 8 aprile '92).

Tornare indietro. Prima dell'89 (l'altro 89, beninteso). Questo il progetto di rievangelizzazione che Karol Wojtyła coerentemente persegue, e che nel tramonto dei comunismi ha realizzato solo la sua prima tappa. Dunque, una crociata non già contro le lusinghe di una modernità colpevole perché incompiuta, fin qui infedele alle sue promesse e premesse, e di un disincanto tradito perché incapace di realizzare per ciascuno dignità e autonomia, autentica cittadinanza insomma. Ma una crociata oscurantista proprio contro quel progetto, presentato come già attuato e che resta invece il grande compito del presente. Una crociata che a fronte di emancipazioni mancate promette solo nuove servitú ideologiche e rassicuranti obbedienze.

Eppure Wojtyła dilaga, perché in sintonia con lo spirito dominante, con il segreto piú profondo di una secolarizzazione che è soprattutto *smarrimento*, poiché scarto e disincanto tradito, e che dunque fin qui ha messo capo ad un individualismo che è *rifiuto* dell'individuo concreto. Questo il vento dei tempi, che gonfia le tonache della flotta di Pietro. L'odio per l'individuo, e per la pretesa di radicale autonomia da ogni ipotesi teologica, che anche ed essenzialmente lo caratterizza.

L'anti-individualismo è oggi piú che mai il quartier generale del conformismo dell'esistente, dove ritrovano affinità elettive e sintonie stategiche campioni sotto ogni altro profilo antagonistici. Collante insensato, tuttavia, quello dell'anti-individualismo, visto che l'individuo, benché promesso, è ancora l'irrealizzato obiettivo di una modernità elusa. Di modo che l'anti-individualismo è come l'antisemitismo nella Polonia di oggi, denunciato da Marek Edelmann: che si scatena e rinnova, benché non ci siano piú ebrei. Oggi, infatti, non ci sono *ancora* individui.

Il papa porta a compimento il tradimento «borghese» contro il disincanto. La modernità ha realizzato l'ideale borghese del mercato, infatti, ma l'establishment altrettanto borghese della politica ha soprattutto smentito nella quotidianità del suo potere i principî della cittadinanza e del potere condiviso, senza di cui si dà individualismo ma non individuo, e che pure sono scritti nell'arca di ogni costituzione. Con una differenza: che il tradimento «borghese» dell'individuo viene compiuto riaffermando il primato ideologico del soggetto (nel frattempo lobotomizzato), e allo scarto disconosciuto si accompagna comunque cattiva coscienza e disagio. Mentre il papa aggredisce l'individuo con lieta coerenza e santo entusiasmo, poiché vuole l'uomo tutto comunità, verità, ordine, obbedienza. Il suo è un oscurantismo dispiegato, orgoglioso. Non arrogante, però, perché pensoso del tragico di iniquità da lenire in cui si colloca, e tuttavia irresponsabilmente festoso in quell'incitazione a delinquere che è l'invito perché il mondo dei poveri stringa ulteriormente il cappio del tasso demografico che lo condanna ad una esistenza di agonia.

Karol Wojtyła non costituisce perciò solo una reazione di retroguardia limitata al mondo cattolico, né tanto meno un fenomeno politico folkloristico sostanzialmente innocuo. La cautela sarà d'obbligo quando si sarà tentati, in nome della fiducia nella macchia d'olio inarrestabile della secolarizzazione, di dichiarare mera apparenza la rivincita di Dio (non solo quello cattolico) e il ritorno di clericalismo (meno che mai solo quello cattolico), nel cui ambito l'azione di Wojtyła diventa segno dei tempi.

La predicazione del papa polacco, intanto, fa breccia fra i militanti del primo e del terzo mondo che si piangono orfani di una teoria rivoluzionaria, oltre che avere sedotto pressoché tutti gli oppositori delle nomenklature del secondo mondo. Che il suo messaggio lasci nell'indifferenza la massa degli indifferenti è forse segno di secolarizzazione, non certo di quella annunciata dai lumi del disincanto e della cittadinanza, però. Destinato all'insuccesso, perciò, Wojtyła? Non precipitiamoci. Il papa lavora dentro la crisi del disincanto e della modernità, quando su scala planetaria l'esistenza si presenta sempre piú come una immane raccolta di ingiustizie, e la singola ingiustizia come la testimonianza di un piú smisurato e generale egoismo. Wojtyła diviene allora torcia di speranza, e perfino, in Occidente, monopolio della speranza.

Ma di tutto questo nei prossimi capitoli, analiticamente.

Capitolo secondo

I poveri del Signore

> È impossibile immaginare cosa piú pretenziosamente vuota, piú *nulla* e piú inconcludente di quella non mai finita dissertazione, di quel mare di parole e di frasi, in cui la Sua sedicente Santità non isdegna di stemperare e diguazzare i tritumi delle idee piú rancide, piú sciocche e confuse che si ripetono contro il socialismo.
>
> (FILIPPO TURATI, a commento della *Rerum novarum*)

Benché la giustizia non sia di questo mondo, Giovanni Paolo II non è disposto a tollerare che l'evangelica promessa secondo cui gli ultimi saranno i primi, valga su questa terra ad ipocrita copertura dell'iniquità sociale. Il messaggio di Cristo non può degradarsi a sepolcro imbiancato di una religiosità rituale o di una spiritualità indifferente alle sofferenze di quaggiú. «Per la chiesa il messaggio sociale del Vangelo non deve essere considerato una teoria ma prima di tutto un fondamento e una motivazione per l'azione... Oggi piú che mai la chiesa è cosciente che il suo messaggio sociale troverà credibilità nella *testimonianza delle opere*, prima che nella sua coerenza e logica interna» (CA, 57). Il papa che in gioventú ha conosciuto il «giogo quasi servile» dello sfruttamento operaio alla Solvay di Cracovia, giudica e manda con la spada di una prosa che non conosce la diplomazia dell'eufemismo: i nuovi peccatori per eccellenza sono coloro che «con la brama esclusiva del profitto e la sete del potere» (SRS, p. 2148), piú conclusivamente bestemmiano la volontà di Dio.

Senza mezzi termini, perciò: «Una delle piú grandi ingiustizie del mondo contemporaneo consiste proprio in questo: che sono relativamente pochi quelli che possiedono molto, e molti quelli che non possiedono quasi nulla. È l'ingiustizia della cattiva distribuzione dei beni e servizi destinati originariamente a tutti» (ivi, p. 2138), di modo che «mentre da una parte cospicue risorse della natura rimangono inutilizzate, dall'altra esistono schiere di disoccupati e sottoccupati e sterminate moltitudini di affamati» (LE, p. 1950). La modernità del mercato e della divisione del lavoro è progresso, beninteso, e da oltre due secoli non cessa di rinnovarsi, accresciuto e moltiplicato, il miracolo già indagato dall'analitico stupore di Adamo Smith, e che al più umile lavoratore a giornata di Gran Bretagna o di Olanda consentiva agi assai superiori a quelli di numerosi principi indiani, padroni assoluti della vita e della libertà di un migliaio di selvaggi nudi (Adam Smith, *Draft of «The Wealth of Nations»*, trad. it. *La ricchezza delle nazioni – abbozzo*, Boringhieri, Torino 1959, p. 15). Ma proprio perciò rintocca come aggravante la circostanza che «nonostante il progresso tecnico-economico la povertà minacci di assumere forme gigantesche», anche nell'Occidente «di un'opulenza ostentata» (CA, 33) e tuttavia percorso da una «povertà multiforme dei gruppi emarginati, degli anziani e malati, delle vittime del consumismo» (ivi, 57).

Più rivoltante che mai, dunque, se malgrado la produttività smisurata, il mercato è anche e ancora «violenza contro la quale la giustizia protesta», e tale da strappare a Karol Wojtyła l'invocazione: «Volesse Dio» che le parole di Leone XIII «scritte mentre avanzava il cosiddetto "capitalismo selvaggio", non debbano oggi essere ripetute con la medesima severità» (ivi, 8). Tanto più che il progresso, rendendo esigenti, moltiplica perfino le forme di povertà. «La negazione o la limitazione dei diritti umani, non impoveriscono forse la persona umana altrettanto, se

non maggiormente della privazione dei beni materiali?»
(SRS, p. 2125).

Ecco perché il successore polacco di Pietro considera
la causa dei poveri e la lotta contro l'ingiustizia sociale
non solo irrinunciabile missione e servizio da parte della
Chiesa, ma «*verifica della sua fedeltà a Cristo*» (LE, p.
1931, sott. mia), dunque vocazione essenziale, *pietra di legittimità*, fondamento e banco di prova della sua adesione
alla volontà divina. I poveri sono sempre e innanzittutto i
«poveri del Signore» (SRS, p. 2156) prediletti da Dio perché ultimi, epperciò *primi* su questa terra nella preoccupazione e sollecitudine della Chiesa.

Non è tuttavia per ribadire questa vocazione perenne
della Chiesa, e per celebrare il papa che gli restituí una
centralità essenziale troppo a lungo trascurata, che Giovanni Paolo II ritorna con la *Centesimus annus* sulla dottrina sociale cattolica inaugurata da Leone XIII. E meno che mai per inerzia e routine di notarile commemora-
zione.

Piuttosto, appare a Wojtyła provvidenziale *segno dei
tempi*, e non coincidenza fortuita, che il centenario della
Rerum novarum venga a cadere mentre «cresce il discredito delle ideologie» (CA, 5) che hanno dominato il secolo e dovevano spartirsi l'avvenire. Al collasso il comunismo, senza che il suo storico antagonista possa inorgoglir-
si di trionfo, poiché la questione sociale rimanda l'eco,
piú articolata ma non meno drammatica, dei nuovi e vecchi diseredati che il sistema capitalistico produce su scala
planetaria.

Apparentemente inattuale e tagliata fuori dalla storia,
la cattolica intransigenza di Leone si dimostra perfettamente capace di «rispondere alle grandi sfide dell'età
contemporanea» (*ibid.*). Un intero secolo di *fatti* (spesso
tragici) ne decretano il realismo. In straordinario anticipo

sui tempi, semmai, l'enciclica di Leone. Inattualità *profetica*, la sua, che tenne ferma la condanna di un capitalismo disfrenato nella crudeltà della sua inerzia perché affidato alla libertà economica del puro egoismo, ma che intuí anche nella replica socialista il destino di una nuova e piú feroce oppressione per i lavoratori. La fede di Leone non si fece stregare dalle apparenze che dichiaravano l'irriducibile inimicizia di due ideologie legate invece dalla segreta complicità della secolarizzazione ad oltranza, e da una inconsapevole cospirazione che li trascinava verso il fallimento: l'illusione che scienza e numero, divinità progressiste della comune idolatria positivista, potessero fare a meno di un'anima cristiana.

Non può stupire, dunque, l'intatta capacità di convinzione delle rivendicazioni di Leone. Il giusto salario, il legittimo riposo, la tutela dei minori e delle donne, diritti inalienabili dei lavoratori poiché poggianti sulla dignità assegnata da Cristo al lavoro. Ma anche l'incoraggiamento allo strumento di lotta operaia in vista della giustizia, il sindacato, che la Chiesa «difende e approva... perché l'associarsi è un diritto naturale dell'essere umano» (ivi, 7). E, ancora, il riconoscimento delle proprietà private non come «diritto assoluto», bensí «subordinato alla loro originaria destinazione comune... e anche alla volontà di Gesú Cristo, manifestata nel Vangelo», di modo che Giovanni Paolo potrà ribadire il terribile ammonimento di Leone: che i ricchi «devono tremare» (ivi, 30).

Ma soprattutto la saggezza anticipatrice, che nella esasperazione del conflitto «tanto piú duro e inumano perché non conosceva regola né norma» (ivi, 4), prevede violenza che chiama violenza e discordia di guerra civile. Ed è perciò incrollabile nel ribadire che «la pace si edifica sul fondamento della giustizia» (*ibid.*), e audace nell'offrire l'equità di un compromesso fra interessi non piú contrap-

posti e inconciliabili, ma mediati dal reciproco riconoscimento di un bene comune che solo il cristianesimo consente.

Del resto, perfino nella cautela che la *Rerum novarum*
esibisce in ordine all'intervento dello Stato nella sfera sociale, Wojtyła suggerisce il presentimento in filigrana, accanto a quelli del liberismo, anche dei limiti e delle contraddizioni dello Stato assistenziale che intenderà esserne
il correttivo. Deriva burocratica eppercciò inefficiente, ol-
treché disumana, di un *welfare* affidata al meccanismo
anonimo della macchina statale, anziché all'incoraggiamento pubblico della socialità delle comunità naturali e
dei gruppi intermedi.

In altri termini e per riassumere: Karol Wojtyła inter-
preta Gioacchino Pecci come l'ingenuità della fede che si
dimostra realismo, la nostalgia premoderna che si rivela
anticipazione postmoderna, la fedeltà cattolica che si palesa *profezia*.

Mettiamola allora alla prova, «*la ricca linfa*, che sale da
quella radice» e che «non si è esaurita col passare degli
anni, ma *è* anzi *divenuta più feconda*» (CA, 1), per saggiare
su testo e contesto di Leone quanto vi sia di leggenda in
questa ermeneutica.

L'immortale enciclica contro i socialisti.

La *Rerum novarum* reca la data del 15 maggio 1891 e viene pubblicata integralmente in latino in tre puntate su
«L'Osservatore romano» del 19, 20 e 21 maggio. Quattro
anni prima Alfred Nobel ha messo a punto la dinamite, e
quattro anni più tardi i fratelli Lumière inventeranno la
cinematografia. Da quasi vent'anni si prolunga una de-
pressione economica iniziata nel 1873 con una crisi da so-

vrapproduzione agricola e industriale. Bismarck si è appena dimesso da cancelliere dopo un decennio nel quale è
andato realizzando il programma annunciato «per il bene
positivo degli operai» dall'imperatore di Germania Gu-
glielmo II il 17 novembre 1881, promulgando leggi che garantiscono l'assicurazione obbligatoria contro malattie,
infortuni sul lavoro, invalidità, e pensioni per tutti a set-
tant'anni. Cinque anni prima i lavoratori americani sono
scesi in sciopero per chiedere le otto ore, e il primo maggio viene proclamato, in ricordo di quella leggendaria
giornata di lotta, festa dei lavoratori, dalle organizzazioni
socialiste che si sono riunite a Parigi il 14 luglio 1889 per
fondare la Seconda Internazionale. Due settimane prima
della promulgazione dell'enciclica, la giornata del Primo
maggio a Roma viene insanguinata a piazza Santa Croce
in Gerusalemme dalla repressione che costa la morte di
due lavoratori.

La *Rerum novarum* ha uno scopo essenziale esplicito e
cristallino: la lotta contro i socialisti di ogni scuola e organizzazione, per «abbattere gli errori funesti» (RN, p. 434)
delle loro dottrine, e per bloccare il radicarsi e l'espander-
si del nascente movimento operaio. Offrendo in cambio
ai lavoratori il paternalismo e i buoni uffici di santa madre
chiesa per rendere meno disumano lo sfruttamento di
fabbrica, ma anche chiamando a raccolta i governi perché, laddove i lavoratori restino sordi alla voce dei cattolici pastori, «posto freno ai sommovitori, preservi(no) i
buoni operai dal pericolo della sedizione, i leggittimi padroni da quello dello spogliamento» (ivi, p. 449).

Il punto di partenza di Leone è di inequivoca e ontologica rassegnazione (per i lavoratori), infatti. «Stabiliscasi
adunque in primo luogo questo principio, doversi sopportare la condizione propria dell'umanità: torre dal
mondo le disparità sociali, esser cosa impossibile. Lo ten-

tano, è vero, i socialisti» (ivi, p. 440) «uomini turbolenti ed astuti», però, che «s'argomentano ovunque di falsare i giudizi e volgere la questione operaia a sommovimento dei popoli» (ivi, p. 435). Costoro, «attizzando nei poveri l'odio dei ricchi», tolgono «all'operaio la libertà di reinvestire le proprie mercedi, gli rapiscono il diritto e la speranza di vantaggiare il patrimonio domestico e di migliorare il proprio stato, e ne rendono perciò piú infelice la condizione» (ivi, p. 436). Del resto, rapiscono anche i figli, oltre al diritto e alla speranza, questi socialisti, poiché «sostituendo alla provvidenza dei genitori quella dello Stato, vanno *contro la naturale giustizia*, e disciolgono la compagine della famiglia» (ivi, p. 439).

Innegabile l'ingiustizia di un mondo nel quale si è «in poche mani accumulata la ricchezza, e largamente estesa la povertà» (ivi, p. 434) «tantoché un piccolissimo numero di straricchi hanno imposto all'infinita moltitudine dei proletari un giogo men che servile» (ivi, p. 435). Ma ora sappiamo di chi è la colpa essenziale, al di là delle apparenze, se il proletario non può diventare proprietario. Dei socialisti, che predicano la proprietà comune, denunciando come finzione il diritto di proprietà *per tutti*.

Bisogna leggerlo senza occhiali di pregiudizio favorevole, l'«immortale» documento del papa «socialista». Suonerebbe particolarmente stonata, infatti, ogni esegesi che volesse imbellettare le parole sopra riportate come preveggenza dell'evoluzione capitalista, con diffusione della proprietà ed emergere e dilagare dei ceti medi, fino all'attuale terziario avanzato. Metamorfosi che nulla deve agli innocui correttivi sussurrati da Leone XIII, ma molto, invece, alle lotte e all'«odio» dei lavoratori organizzati nelle variegate tendenze socialiste.

Proprio quelle lotte che il papa stigmatizza e denuncia, richiamando i potenti al *dovere* della repressione. Lo scio-

pero «è sconcio grave e frequente», infatti, «al quale oc-
corre che ripari lo Stato, perché tali scioperi non recano
danno ai padroni solamente e agli operai medesimi, ma al
commercio e ai comuni interessi» (ivi, p. 449). E se per il
proletario è «obbligo di giustizia... non mescolarsi con
uomini malvagi, promettitori di cose grandi» (ivi, p. 441),
i vituperati socialisti, insomma, «il rimedio poi piú efficace e salutare si è prevenire il male con l'autorità delle leggi
e impedirne lo scoppio» (ivi, p. 449). Fuori legge lo sciopero e al bando le organizzazioni socialiste, dunque, dal
momento che «oggi, specialmente in tanto ardore di sfrenata cupidigia, bisogna che le plebi sieno tenute a dovere... Intervenga dunque l'autorità dello Stato» (*ibid.*).

Non si potrebbe essere piú chiari. Qui la profezia di
Leone, eventualmente, si chiama Bava Beccaris e altri
Boulanger, ma è piuttosto una invocazione che un dono
di Sibilla. E Karol Wojtyła, che ha benedetto il sindacato,
e non solo perché ha creduto al miracolo di un capo operaio che sostituisse la falce e martello con la madonna nera, e sotto quella bandiera mandasse in pensione decenni
di comunismo, è costretto, dalla logica di un magistero
che pretende di insegnare il nuovo sempre e solo nella
continuità di una Verità permanente, a presentare le parole di papa Pecci sul sindacato per l'opposto di quelle
che storicamente furono.

È ben vero, infatti, che Leone XIII affermò che «il diritto di unirsi in società l'uomo l'ha da natura: e i diritti
naturali lo Stato deve tutelarli, non distruggerli. Vietando
tali associazioni... sia di soli operai, sia miste di operai e
padroni... egli contraddirebbe a se stesso» (ivi, pp. 454 e
453), ma la successiva clausola restrittiva funziona poi da
eccezione che *vanifica* la regola anziché confermarla: «si
dànno però casi che rendono legittimo e *doveroso* (sott.
mia) il divieto. Quando società particolari si prefiggano

un fine apertamente contrario all'onestà, alla giustizia, alla sicurezza del civile consorzio, legittimamente si oppone ad esse lo Stato, o vietando che si formino, o sciogliendole formate» (ivi, p. 454). I sindacati dell'epoca, ad esempio, essendo «opinione comune, confermata da molti indizi, che il piú delle volte sono (associazioni) rette da capi occulti con organizzazione contraria allo spirito cristiano e al bene pubblico» (ivi, p. 455).

Leggi antisciopero, galere e baionette, dunque. Che questi siano i rimedi è per Leone al di là di ogni ragionevole dubbio. L'enciclica sembra volere stemperare questo spirito poliziesco nella paterna benevolenza di un richiamo alla moderazione, tuttavia: «è necessario però procedere in questo (la repressione) con somma cautela per non invadere i diritti dei cittadini, e non fare il male sotto pretesto del pubblico bene» (ivi, p. 454). Ma anche qui: non si tratta di usare i guanti bianchi con i vituperati socialisti, bensí di non coinvolgere nell'auspicata repressione anche le organizzazioni cattoliche, evitando i precedenti del Kulturkampf e della sua «sacrilega violenza» sostenuta da «uomini perduti» (Pio IX, *Quod numquam*, pp. 319 e 318). Nella repressione contro i socialisti, anzi, i governi sono accusati di essere tiepidi, e Leone si lamenta che «vediamo interdirsi società cattoliche, tranquille e utilissime» mentre il diritto all'organizzazione «viene largamente concesso ad uomini apertamente congiurati a danno della religione e dello Stato» (RN, pp. 454-55).

Anzi. Poiché per lo sconcertato Leone spirito cristiano e bene pubblico formano una indissolubile endiadi (*ibid.*), la richiesta non è che venga posto fine allo sconcio, ma che esso venga *rovesciato*, attraverso una politica inquisitoria verso le società «contrarie all'onestà», e che privilegi quelle cristiane.

Il monopolio delle anime.

Quello che Leone pretende è un doppio monopolio, addirittura. Le organizzazioni cattoliche, ormai senza concorrenza in forza dell'ostracismo fulminato sulle leghe socialiste, dovrebbero infatti essere subordinate esplicitamente alle gerarchie ecclesiastiche, malgrado la prima mossa reclami *indipendenza*: «Lo Stato difenda queste associazioni legittime dei cittadini, non s'intrometta però nell'intimo della loro organizzazione e disciplina» (*ibid.*). Una istanza squisitamente liberale, benché non si capisca da chi lo Stato dovrebbe difenderle. Forse dai «capi occulti» che «col monopolio delle industrie costringono chi rifiuta di accomunarsi seco, a pagar caro il loro rifiuto» (*ibid.*)? Gioacchino Pecci non è dunque informato che i socialisti si fanno un vanto di agire *apertamente*, e condannano le società e sette segrete perché di spirito borghese? E può essere buona fede quella che racconta le organizzazioni degli scioperanti capaci di «monopolizzare le industrie» e di imporre la loro volontà eversiva ai lavoratori?. Senonché: «In quanto poi riguardano la religione, (queste associazioni) non sottostanno che all'autorità della Chiesa» (ivi, p. 454). L'operaio, perciò, se vuole organizzarsi, non solo deve organizzarsi *cristianamente*, altrimenti saranno ceppi e sciabolate, ma deve farlo nella letizia della sottomissione a santa romana chiesa. Una organizzazione autonoma è vietata perfino ai buoni cattolici, dunque. In questo Leone XIII è certamente profetico, visti i chiari di luna ereticamente modernisti che si profilano.

Senza perifrasi, perciò: «Posto nella religione il fondamento degli statuti sociali» (ivi, p. 457), tali associazioni «devono avere in mira come scopo precipuo, il perfezionamento religioso e morale... altrimenti tralignerebbero in altra natura... Del resto, che gioverebbe all'operaio l'aver trovato nella società di che viver bene, quando l'anima per mancanza d'alimento proprio corresse pericolo di perire?» (ivi, p. 456). Non fa una piega, il sillogismo cattolico. Ma si capisce la furia di un socialista riformista e moderato come Turati, costretto a denunciare nella *Rerum novarum* gli «amplessi senili fra una istituzione in agonia e una classe in decadenza morale sempre piú pronunciata» («Critica sociale», 31 maggio 1891).

Il «liberalismo» clericale di Leone XIII giunge a conclusione: «Pigliando adunque da Dio il principio, si dia [in queste associazioni, uniche ad essere consentite, si rammenti] una larga parte all'istruzione religiosa, affinché ciascuno conosca i propri doveri verso Dio; sappia bene ciò che deve credere, sperare o fare per salvarsi; e sia ben premunito contro gli errori correnti e le seduzioni corruttrici» (ivi, p. 456) al fine, sia chiaro, di «avvicinare ed unire le due classi fra loro» (ivi, p. 453).

È la vecchia insegna della bottega legittimista, Dio patria e famiglia, aggiornata ai nuovi interlocutori della rivoluzione industriale. Del suo scopo, del resto, Leone non aveva fatto mistero: «bisogna che le plebi sieno tenute a dovere», e la consolazione cristiana è di potente aiuto alla rassegnazione operaia. «I proletari... contenti di una vita frugale... lontani dai vizi» (ivi, p. 445), attraverso la mediazione della Chiesa otterranno governi che si adoperino perché «abbia(no) vitto e vestito, e campi(no) meno disagiatamente la vita» (ivi, p. 448), lontani dai «non pochi, imbevuti di massime false e smaniosi di novità, che cercano ad ogni costo eccitare tumulti e sospingere alla violenza» (ivi, p. 449). Cosa sarebbe oggi la qualità della vita operaia, senza un secolo di lotte degli smaniosi di novità e altri malvagi promettitori di cose grandi, è inferno perfino difficile da immaginare.

E tuttavia. Nessuna indignazione, sia chiaro. Era uomo del suo tempo, Gioacchino Pecci, uomo d'ordine e di vocazione al potere, benché nell'Avignone di Roma espropriata, e dunque ovviamente reazionario. Ma per carità, non si cerchi di farlo passare per un precursore di Solidarność (organizzazione liberamente costruita da lavoratori credenti e *non credenti*, e sempre autonoma *contro* ingerenze e prudenze delle gerarchie, porpora di Glemp compresa, quando del caso).

E veniamo al diritto di proprietà. «Il principio della priorità del "lavoro" nei confronti del "capitale"» (LE, p. 1937) costituisce per Wojtyła la dottrina eterna della Chiesa, da sempre insegnata, ma da Leone rinnovata con un «immortale documento» che impone alla Chiesa tutta «un debito di gratitudine» (CA, 1).

La prima verità sempiterna recita che «l'uomo non deve possedere i beni esterni come propri, ma come comuni» (Tommaso d'Aquino, *Summa teologica*, II-II, Q. LXV, a. 2), critica anticipatrice degli egoismi del mercato che Leone rende di nuovo esplicita, proprio in virtú di quella *renovatio* del tomismo che segna ideologicamente il suo pontificato anche in opposizione ai primi disordini del modernismo. La proprietà come prestito di Dio, insomma, per cui la critica di Wojtyła nei confronti del capitalismo si esprime nel tener fermo che a fondamento, ma anche perciò a *limite di legittimità*, delle proprietà private, è sempre un uso subordinato alla loro originaria destinazione comune, secondo la volontà manifestata dal Vangelo (CA, 30). E cioè secondo le formulazioni mondanamente evolutive della cattedra di Pietro, unica interprete autorizzata di quella divina volontà.

Per Leone, invece, fresco di riconosciuta ecumenica infallibilità, resta prioritario «che nell'opera di migliorar le sorti delle classi operaie, deve porsi come fondamento inconcusso il diritto alla proprietà privata» (ivi, p. 439) «poiché anche in questo passa gran divario tra l'uomo e il bruto» (ivi, p. 436). Si tratta perciò di uno spartiacque inderogabile ed essenziale, che segna la differenza tra l'uomo e la bestia. Di modo che il rapporto fra le due verità formulate dalla *Summa teologica* si presenta in Leone rovesciato rispetto a Giovanni Paolo II. E infatti. «L'aver poi dato Iddio la terra ad uso e godimento di tutto il genere umano, non si oppone punto al diritto della privata proprietà», poiché dono comune non significa «promiscuo dominio», bensí privatissima appropriazione di pochi, secondo quanto stabilito «dal giure speciale dei popoli», cioè dalle asimmetrie di potere storicamente esistenti e vaticanamente sanzionate come decreti *ab aeterno* della divina volontà. Il dono comune si risolve perciò nel suo opposto, nella semplice circostanza che «la terra resta nondimeno a servigio e benefizio di tutti, non essendoci uomo al mondo che non riceve alimento da quella... Chi non ha bene propri vi supplisce con il lavoro» (ivi, p. 437).

Tanto è vero che il proprietario ne fa l'uso che preferisce. «Niuno è tenuto sovvenir gli altri di quello che è necessario a sé e ai suoi; anzi neppur di quello che è necessario alla convenienza, e al decoro del proprio stato» (ivi, p. 443). Il lusso diventa un obbligo sociale sanzionato dalla cattolica metafisica del dottore angelico (*Summa teologica*, II-II, Q. XXXII, a. 6), e sulla misura dello sfarzo necessario ciascuno decide in proprio (e i papi in primo luogo, contro i poverelli francescani e altri piagnoni, e per fortuna, che non avremmo altrimenti la Cappella Sistina). Qui si anticipa addirittura Mandeville, e lo si sorpassa, anche, visto che il cosmopolita immoralista di Rotterdam sbandierava che erano vizi privati (del lusso e della spesa), e non teologale virtú, quelli che producevano i pubblici benefici.

Siamo agli antipodi dell'esegesi di Wojtyła. Il diritto di proprietà è di fatto incoercibile e *santificato*. «Confermano tal diritto e lo assicurano con la pubblica forza le leggi civili. Né manca il suggello della legge divina, la quale vieta strettissimamente perfino il desiderio della roba altrui» (RN, p. 438), anche se in primis fra tale roba cita la altrui *moglie* (qui il carattere profetico si fa claudicante, ma anche Omero di tanto in tanto sonnecchia). Un diritto da Leone riverito al punto che «è ingiustizia ed inumanità esigere dai privati, sotto nome d'imposta, piú del dovere» (ivi, p. 453), cioè una «imposizione moderata» (ivi, p. 446). Santa ingenuità, ma forse non innocente, che dimentica come ai ricchi ogni imposta sia sempre apparsa smodata e perfino mostruosa, da che ricchezza è ricchezza e privilegio privilegio.

La giusta mercede.

Oggi *quella* polemica sulla proprietà privata, che opponeva i socialisti al capitalismo selvaggio e a Leone XIII, è priva di senso, poiché a chiedere la statalizzazione integrale dell'economia sono isolati nostalgici della stagnazione comunista e di altri muri. Ma non perché fosse profetico Gioacchino Pecci nel condannare Fernando Lassalle e Anna Kuliscíov. I ragionamenti della *Rerum novarum* furono infatti perfettamente identificati, anche dai riformisti moderati e dai borghesi piú aperti, come vergognosa apologia dell'esistente. Ed è anzi merito delle lotte proletarie, riformiste ma anche *rivoluzionarie* (non fosse altro che per lo spavento indotto fra i borghesi, e le conseguenti riforme che i piú lucidi fra loro accettarono come improcrastinabili), se la logica del mercato ha assunto un volto umano, accentuando oltre tutto con ciò la sua efficienza, e dando luogo a quel capitalismo con proprietà mista e dilagante diffusione dei ceti medi, che ha reso obsoleta e ormai ininfluente *ogni* risposta socialista alle nuove forme di emarginazione e diseguaglianza.

Del resto, scorriamo sommariamente e senza preconcetti le misure avanzate da Leone XIII a sollievo dei proletari e a soluzione della questione operaia.

È innanzittutto sconcertante, se si accoglie la tradizione di un Leone paladino dei proletari, scoprire come le prime misure proposte dalla *Rerum novarum* riguardino bensí una serie di *obblighi di giustizia*, ma a carico dei lavoratori e non già dei capitalisti. Perché «gli operai non rimangano soli e indifesi in balía della cupidigia de' padroni e di una sfrenata concorrenza» (*ivi* p. 435.) è dunque necessario che gli operai stessi comincino col «prestare interamente e fedelmente l'opera, che liberamente e secondo equità fu pattuita». Niente scioperi, insomma, e quindi alla larga dagli «uomini malvagi, promettitori di cose grandi» (i perfidi socialisti!), poiché ad ascoltarli e scioperare si raccoglieranno solo «perdite rovinose» e si spargeranno le lacrime di coccodrillo di «inutili pentimenti» (ivi, p. 441).

Se il proletario ha obblighi di giustizia, anche il capitalista ha qualche dovere. Deve rispettare nel lavoratore «la dignità dell'umana persona, nobilitata dal carattere cristiano» di modo che «viene comandato doversi nei proletari aver riguardo alla religione e ai beni dell'anima. È obbligo perciò dei padroni lasciare all'operaio agio e tempo che basti a compiere i doveri religiosi» (*ibid.*). Ma non si creda che Leone alluda al riposo quale fu poi conquistato dalle lotte operaie. È anzi esplicito e inequivoco nel sostenere il contrario. «Sotto il nome di riposo festivo non s'intende già uno stare in ozio piú a lungo, e molto meno una totale inazione, quale si desidera da molti [gli operai traviati dai turpi socialisti, evidentemente], fomite di vizi e occasione di scialacquo; ma un riposo consacrato alla religione» (ivi, p. 450).

Infine, benché «principalissimo», il padrone ha anche il dovere di retribuire il proletario con una «giusta mercede» (ivi, p. 441). Formulazione vaghissima, la cui definizione quantitativa resta affidata al buon cuore del capitalista, esattamente come apparteneva al ricco stabilire il grado di lusso confacente al decoro del proprio stato. È cattolica certezza di Leone, infatti, che «sebbene cosí prepotente sia negli uomini la forza dei pregiudizi e delle passioni, nondimeno, se la pravità del volere non ha spento in essi il senso dell'onesto, (i padroni) non potranno non provare un sentimento benevolo verso gli operai, quando li scorgano laboriosi, moderati, mettere l'onestà al di sopra del lucro e la coscienza del dovere innanzi ad ogni altra cosa» (ivi, pp. 457-58). Non li ha mai letti, i libretti azzurri sulla benevolenza dei padroni del suo tempo, cioè sugli orrori della condizione operaia, diffusi dalle commissioni *governative* inglesi, a cui avevano già attinto Marx e Engels?

Ma poiché la «pravità del volere» può essere in agguato anche nell'animo sensibile del padrone delle ferriere, papa Pecci si avventura a stabilire una norma piú vincolante: «il quantitativo della mercede non sia inferiore al sostentamento dell'operaio». Nel timore, tuttavia, di essersi mostrato spericolato, specifica: sostentamento «frugale, s'intende, e ben costumato» (ivi, p. 452). Vitto e vestito, abbiamo visto (ivi, p. 448). La nuda sopravvivenza, insomma, e la messa la domenica come unico svago. A questo punto si chiarisce perché Leone abbia riassunto i doveri del padrone verso il lavoratore nella generosa formula: «non tenere gli operai in luogo di schiavi» (ivi, p. 441).

E poiché sono i costumi cristiani, «quando sieno e si mantengano davvero tali», che «contribuiscono alla prosperità terrena», dal momento che «infrenano la cupidigia della roba e la sete dei piaceri» (ivi, p. 445. «*Il piacere è la radice di ogni male*», ricorda qui Leone citando il certamente sessuofobico apostolo delle genti, che nella circostanza, tuttavia, non ha in vista le concupiscenze della carne e altre gourmandises, visto che la *Bibbia concordata*, con tanto di imprimatur – Mondadori, Milano 1968 – dice «amore del denaro» in luogo di piacere, e «l'avidità del denaro» precisa, la traduzione di Carlo Carena con testo greco a fronte, San Paolo, I Tim. 6, 10, in *Le lettere*, Einaudi, Torino 1990), suona logica conseguenza chiedere allo Stato che si astenga dall'intervenire, assegnando alla Chiesa cattolica, oltre al monopolio dell'organizzazione dei lavoratori, anche quello degli interventi assistenziali. «Si è creduto bene di sostituire (alla carità della chiesa) la beneficenza legale», si lamenta Leone, ma poiché nessuna industria umana può supplire alla carità cristiana «che tutta consacrasi al bene altrui», essa deve restare monopolistica «virtú della Chiesa, perché è virtú che sgorga solamente dal cuore santissimo di Gesú Cristo: e si allontana da Gesú Cristo chi si allontana dalla Chiesa» (RN, p. 446). Sillogismo ineccepibile secondo ortodossia, che esclude anche i protestanti e che non anticipa certo il sentore di un welfare.

La leggenda di Leone.

Lungo tutto un secolo, la chiesa romana ha costruito la *leggenda* di Leone XIII, attraverso uno stratificarsi di interpretazioni che hanno insensibilmente modificato, da un papa all'altro, il messaggio originario, stravolgendolo via via fino ad un compiuto rovesciamento di senso. Senza ripercorrere l'intera storia di questa manipolazione di testo e contesto dell'enciclica leonina (che vede nella *Quadragesimo anno* di Pio XI la sua pietra miliare), sarà opportuno citare Giovanni XXIII proprio per la virulenza della polemica nei confronti di una lettura intellettualmente non pregiudicata dagli occhiali della fede e dell'ortodossia.

Papa Roncalli narra del gesto pieno di ardimento (MM, p. 1579) del suo predecessore che «facendo proprie le sofferenze, i gemiti e le aspirazioni degli umili e degli oppressi, ancora una volta si eresse a tutore dei loro diritti» (ivi, p. 1578). Ma è soprattutto deciso a scagliarsi contro i «taluni» che osarono «accusare la Chiesa cattolica quasi che di fronte alla questione sociale si limitasse a predicare la rassegnazione ai poveri e ad esortare i ricchi alla generosità» (ivi, p. 1579). In realtà, invitava i governi a piú intransigente repressione, abbiamo visto (RN, pp. 454-55). Sul quotidiano di Roma «Il Messaggiero» del 4 giugno 1891, del resto, era stata pubblicata in forma di lettera il giudizio di un lavoratore che sintetizzava l'opinione pressoché unanime dell'universo proletario; «Il papato vuole che gli operai si rassegnino in terra alle miserie e alle ingiustizie sociali in vista di una felicità di là da venire».

Ma la menzogna fondamentale e reiterata è poi questa: che sia stata la dottrina sociale della chiesa, e il «*grande movimento per la difesa della persona umana* e la tutela della sua dignità» che sulla scorta di quella si è andato sviluppando, a contribuire «nelle alterne vicende della storia» alla costruzione di «una società piú giusta o, almeno, a porre argini e limiti all'ingiustizia» (CA, 2). E non, come fu nella realtà delle cose, nella storia raccontata analiticamente invece che ricostruita cattolicamente, il socialismo con le sue lotte democratiche e progressiste anche malgrado l'involucro rivoluzionario.

«L'appello alla solidarietà, all'azione comune... contro l'inaudito sfruttamento, nel campo dei guadagni, delle condizioni di lavoro e di previdenza per la persona del lavoratore», che Wojtyła rivendica come giustificato «sulle orme dell'Enciclica *Rerum novarum*» (LE, p. 1930), è infatti il prodotto dell'impegno di quegli uomini «turbolenti e astuti», «malvagi e promettitori di cose grandi», «imbevuti di massime false e smaniosi di novità», «eccitatori di tumulti», contro i quali Leone chiedeva un sovrappiú di bastonate e galera.

È del tutto falso, perciò, che «nell'enciclica leoniana sono segnate le linee secondo le quali si è intessuta la legislazione sociale delle Comunità politiche nell'epoca contemporanea; linee come già osservava Pio XI nell'Enciclica "*Quadragesimo anno*", che hanno contribuito efficacemente al sorgere e allo svilupparsi di un nuovo e nobilissimo ramo del diritto, e cioè del *diritto del lavoro*» (MM, p. 1580).

Pravi e reietti, i socialisti, si badi, anche in versione riformista e moderata, e soprattutto «nordica», proprio quella cui il mondo del lavoro deve i vantaggi irrinunciabili dello Stato sociale, indebitamente rivendicati da Giovanni XXIII. È il papa buono, infatti, il papa del concilio, a ricordare che «non è da ammettersi in alcun modo che i cattolici aderiscano al socialismo moderato; sia perché è una concezione di vita chiusa nell'ambito del tempo, nella quale si ritiene obiettivo supremo della società il benessere, sia perché in esso si propugna una organizzazione sociale della convivenza al solo scopo della produzione, con grave pregiudizio della libertà umana, sia perché in esso manca ogni principio di vera autorità sociale» (ivi, p. 1581).

Sull'opera di Leone XIII, perciò, sarà opportuno esercitare un'ermeneutica meno apologetica.

Il successore di Pio IX ha come programma la *ricristianizzazione* del mondo moderno. Non condivide il disperato «siamo finiti!» del cardinale Antonelli, segretario di Stato di papa Mastai. È invece convinto che sia possibile recuperare una società dove *solo congiunturalmente* il potere temporale è bensí in preda a un delirio di orgoglio, e disdegna la legittimazione della religione, e dove le masse, diseredate e umiliate, si rendono anch'esse autonome dalla fede, trovando semmai nei socialisti, negatori di Dio, l'inveramento mondano e non ipocrita dell'evangelica speranza di giustizia.

Proprio nella dismisura della secolarizzazione, infatti, Leone intuisce la possibilità di benedire il secolo, la chiave per riconquistare i territori del temporalismo perduto e la chance per annettere alla fede altre giurisdizioni di anime. Il segreto è semplice: sa leggere in filigrana le antinomie del liberalismo al potere.

Governi e padroni si sono liberati dalla tutela della Chiesa, e al conforto dell'altare preferiscono la scienza e il capitale. Ma rinunciando alla legittimità cristiana, devono ora procurarsi quella mondana. Il consenso dei cittadini sovrani. Rischiano dunque di liberare le masse, di organizzarne l'ostilità contro i propri interessi. La superbia contro Dio può convertirsi nella contestazione di ogni terrena autorità (nelle cancellerie come nelle fabbriche), destituita ormai di sigillo celeste.

Gioacchino Pecci si sente perciò lungimirante nell'offrire al capitalismo un compromesso storico nutrito di aggiornate nostalgie costantiniste. Suona pressappoco cosí il flauto dell'apostolica seduzione: il *liberismo* economico si scinda e separi dalla bestemmia delle *libertà* liberali, rinneghi il satana della laicità e le sue conseguenze istituzionali, imponga per legge e braccio secolare i costumi della morale cristiana, garantisca alla chiesa il monopolio delle organizzazioni popolari, e dunque la riconciliazione dei lavoratori con la fede, e perciò con un profitto che i buoni uffici cattolici renderanno meno disumano. Senza la religione si illudono, infatti, governi e padroni, di poter ancora tenere in soggezione le masse diseredate, mentre «laddove un perpetuo conflitto non può dare che confusione e barbarie... a pacificare il dissidio, anzi a svellerne le stesse radici, il Cristianesimo ha dovizia di forza meravigliosa» (RN, p. 441). Il potere spirituale come piú efficace braccio secolare del capitalismo in sviluppo. E garantisce che non si tratta di cataplasma sintomatico ma di panacea radicale.

Sarà invece proprio grazie al permanere del conflitto, dunque all'opporsi autonomo e antagonistico, benché regolato, degli operai al capitale, che il capitalismo diventerà piú efficiente, oltre che «dal volto umano». E non alle inguaribili nostalgie autoritarie di una rotonda armonia da apologo di Menenio Agrippa (*ibid.*).

La leggenda di Leone XIII suggerisce: anticapitalismo. Ma la verità dei fatti replica: paternalismo reazionario di chi è ossessionato dal sovvertimento culturale della laicità, e che si oppone all'automatismo del mercato, eventualmente, dal punto di vista del corporativismo cattolico. Perciò. Se anche a qualche osservatore laico dell'epoca – piú spaventato che lucido, in verità – è consentito cadere in tentazione, e giudicare Gioacchino Pecci un papa «socialista», è poi necessario non cadere in equivoco. Cattolico «socialista» non si sovrappone in alcun modo a cattolico *democratico*. Al contrario. I cattolici «socialisti» sono i fondamentalisti dell'epoca. Vogliono *imporre* una so-

cietà cattolica. Il loro nemico è anche l'eccesso del liberismo selvaggio, ma la bestia nera dichiarata resta il libero
pensiero, il liberalismo nel suo aspetto culturale liberatorio. Ostracizzano l'ideologia individualista, perché hanno
in orrore l'individuo libero da vincoli organici di fede terra sangue e altre autorità tradizionali.

Sono ultramontanisti. Il cardinale Manning, figura di
massimo spicco del cattolicesimo sociale era stato nel 1870
tra i piú intrattabili sostenitori dell'infallibilità del papa,
contro gallicani giansenisti febroniani e altri giuseppini-
sti, durante il concilio vaticano che stabilí quel dogma, e
quanto a René La Tour du Pin e Albert de Mun, animato-
ri dei circoli operai in Francia, ancora ripetevano, convinti e compunti, le giaculatorie di De Maistre contro gli infa-
mi principî dell'89. In breve: sono populisti, non democratici. Anzi: populisti epperciò rigorosamente antidemo-
cratici. Amano il popolo, organico e ben costumato di tradizioni e obbedienze, ma detestano gli individui che quel
popolo concretamente formano, con il corredo illuministico di libertà e diritti.

Ciò spiega due fenomeni. Il compromesso dell'ideologia capitalista con il cattolicesimo, quando il capitalismo
rinuncia alla cultura laica delle libertà, e di liberale man-
tiene solo l'etichetta, essendosi deciso per l'ordine, l'obbedienza, la conservazione. Un ritorno alle gerarchie «naturali» e altre apologie organiche (del resto dominanti anche negli economisti che Marx chiama «volgari»), che
propiziano l'incontro con il populismo reazionario cattolico. Ma anche l'origine socialista del fascismo, a partire
da quel risvolto oscuro del socialismo rappresentato appunto dal populismo illiberale. Che intende la democrazia non come diritti e poteri per tutti e per ciascuno, ma
per indifferenziate masse, irrigimentate nell'organizzazione che le tutela solo in quanto le sostituisce. Socialismo

critico del liberalismo non già per le interne antinomie di quest'ultimo, ma per via delle sirene organicistiche di un malinteso *popolo* lavoratore. E quindi capace, attraverso la sua mutazione fascista, di coniugarsi con il capitalismo autoritario, paludato nel supplemento d'anima paternalistico delle corporazioni, e benedetto perciò da santa romana chiesa. Qui, in Italia come in Spagna (ma la Germania non sarà quella eccezione anticattolica che la vulgata racconta), il cerchio dei tre populismi illiberali si chiude, e ci dice quanto può essere menzognero, e autolesionista per i lavoratori, il semplice appello contro le ingiustizie.

La riconquista dell'Occidente.

A un secolo di distanza, Karol Wojtyła è deciso a ripetere l'operazione che fu già di papa Pecci. La questione sociale come arma da guerra spirituale per la riconquista cristiana del mondo. Riconquista dal basso, perché le istituzioni e i poteri, al di là della genuflessione ipocrita, sembrano di nuovo indifferenti alla verità cattolica, e a una religione ormai superflua come *instrumentum regni*, soprattutto ora che non è più necessario un cemento spirituale per desuete dighe anticomuniste.

Il nemico è lo stesso, l'individuo laico delle libertà senza Dio, ma è cambiata la scala degli egoismi edonistici, diffusi ormai in ogni classe dalle istituzioni secolarizzate dell'opulenza democratica. La strategia di Leone XIII viene perciò dilatata dal papa polacco alla dimensione di un mondo che non coincide più con l'Europa. E se ai tempi della *Rerum novarum* gli altri continenti erano terra di missione fra popolazioni primitive e selvagge non ancora benedette dall'incontro con il vero Dio, nei giorni della *Centesimus annus* i nuovi barbari da (ri)evangelizzare sono proprio le masse gaudenti di nichilismo della nuova metropoli di Babilonia, da New York a Parigi.

Sia chiaro, perciò. Anche l'anticapitalismo di Wojtyła è una favola. Le tre encicliche sociali di Giovanni Paolo II, nulla aggiungono di sostanziale alla dottrina sociale della Chiesa per quanto riguarda il meccanismo economico capitalista. La loro novità, la *differenza specifica* dell'ideologia di Wojtyła, che lo rende interprete e leader di un movimento niente affatto limitato al regno delle anime cattoliche, è invece l'interpretazione della divisione fra proletari e operai come scontro fra nord e sud del mondo. Vediamo piú da vicino.

Quanto al capitalismo, l'analisi è singolarmente indigente, colma solo di riaffermate genericità, eventualmente con qualche spezia francofortese. Insistendo instancabilmente, al limite del morboso (e del sospetto), che la Chiesa non ha da offrire soluzioni tecniche ma solo orientamenti ideali, viene ribadito, nell'ordine e sulla scorta dell'inevitabile dottore aquinate: il carattere naturale della proprietà privata, il suo uso subordinato alla destinazione comune voluta da Dio, la dottrina del giusto salario e dell'equo profitto (o viceversa), impermeabili ad ogni quantificazione (e confutazione, dunque!). E infine, l'auspicabile privilegio dell'assistenza affidato ai religiosi da un *welfare state* che «intervenendo direttamente e deresponsabilizzando la società... provoca la perdita di energie umane e l'aumento esagerato degli apparati pubblici, dominati da logiche burocratiche» (CA, 48).

Gioco facile, sia detto *en passant*, dopo decenni di crisi dello Stato sociale, ma non si vede perché non lo si possa laicamente riformare, invece che smantellare a vantaggio di un suo surrogato clericale (e altri Muccioli, magari!) Restano mere parole anche quelle dedicate all'operaio che dovrebbe considerarsi «comproprietario del grande

banco di lavoro, al quale si impegna insieme con tutti»
(LE, p. 1944), poiché nessuna conseguenza pratica è prevista, ma solo una interiorizzazione psicologica. Un consolatorio vissuto di «come se».

Nuove appaiono invece le affermazioni sul consumismo, di cui gli uomini della modernità occidentale sono
vittime (CA, 57). Non si tratta del lusso e degli agi eccessivi, sia chiaro, come pure taluni hanno equivocato. «*Il fenomeno del consumismo*» sorge quando l'uomo si rivolge
«direttamente ai suoi istinti», abbandonandosi cosí ad
«*abitudini di consumo e stili di vita* oggettivamente illeciti
e spesso dannosi per la sua salute fisica e spirituale» (ivi,
36). Anche Leone, del resto, in epoca certamente piú frugale, aveva messo in guardia contro i «peggiorati costumi» (RN, p. 434) e altre smodate brame. Bisogna perciò,
oggi come allora, saper distinguere «i bisogni umani dai
nuovi bisogni indotti, che ostacolano la formazione di una
matura personalità». Ad esempio: «la droga, come anche
la pornografia e altre forme di consumismo, sfruttando la
fragilità dei deboli, tentano di riempire il vuoto spirituale
che si è venuto a creare» (CA, 36). L'oppio surrogato della religione, questa la tesi di Wojtyła. Con cui stabilisce
una pericolosa equivalenza, però, che qualcuno potrebbe
leggere in direzione inversa (l'ha già fatto, del resto: religione oppio dei popoli – cioè dei poveri – e non è detto
che non sia questo il Marx da salvare).

In realtà, al papa polacco sta a cuore che sia legittimato
«il necessario intervento delle pubbliche autorità» contro tutti gli stili di vita che pretendono di «consumare l'e-
sistenza in un godimento fine a se stesso» (*ibid.*). Il piacere, causa di tutti i mali, e si capisce allora la permanente
verità cattolica della «errata» traduzione paolina avallata
da Leone.

Con il consumismo sarebbe «strettamente connessa la

questione ecologica» (ivi, 37), benché non si capisca il perché. Storicamente ed empiricamente, infatti, solo dove il consumo raggiunge l'opulenza, si è manifestata una crescente ed efficace coscienza ecologica. Dove domina ancora la povertà «frugale e ben costumata», si punta sullo sviluppo a qualsiasi prezzo, sradicando le culture tradizionali per fare posto al papavero da eroina, o distruggendo in ciclopici falò tronchi e foglie dell'Amazzonia, a maggior gloria dei *garimpeiros*. Ma l'illogica papale ha un suo razionale obiettivo: sostenere sotto più accattivante lemma le smodate proibizioni e i cattolici tabù di una «ecologia umana»: divorzio, contraccezione, aborto (ivi, 38 e 39). Dovremo tornarci.

Maoismo cattolico.

E veniamo al terzo mondo. L'incipit è degno di Franz Fanon: «le popolazioni escluse dalla equa distribuzione dei beni, destinati originariamente a tutti, potrebbero domandarsi: perché non rispondere con la violenza a quanti ci trattano per primi con la violenza?» (SRS, p. 2120). Qui sembrano echeggiare le proposizioni estreme della teologia della liberazione. Una cosa è chiara. Anche se vuole sbarazzarsi del «*possibile equivoco*» di chi nega che la questione sociale abbia perso «la sua *forza di incidenza*» nel primo mondo (ivi, p. 2118), è evidente che il soggetto che Wojtyła privilegia è l'affamato dei nuovi continenti e l'emarginato delle raccapriccianti periferie.

Lin Biao cattolicizzato, insomma. Un sacrosanto spirito di rivolta, fortunatamente inservibile come strumento della rivoluzione mondiale maoista, viene riciclato e addomesticato in veicolo della pacifica crociata di ricristianizzazione planetaria. Una volta consolidato nei paesi in via di sviluppo un già radicato spirito religioso, l'Occidente perduto va riconquistato a Dio a partire dall'assedio inedito e paradossale di una immigrazione non piú di massa ma *di comunità*. Nuovo esodo biblico da accogliere senza limitazioni e salutare come benedizione. Il senso di colpa per l'egoismo materialista del proprio supersviluppo, inammissibile perché causa del sottosviluppo altrui (ivi, p. 2137), farà il resto, rendendo l'Epulone occidentale meno impermeabile al religioso messaggio.

Queste le intenzioni. Per il momento, tuttavia, è sotto l'orifiamma della mezzaluna che l'eventuale rivincita di Dio sembra profilarsi. Ma l'ecumenico papa polacco non sembra preoccuparsene. Il suo timore è piuttosto un altro. A differenza di papa Leone che voleva sventare la lotta di classe, Wojtyła vede invece il pericolo piú grave nell'omologazione secolarizzante che può ipnotizzare i dannati della terra, «allettati dallo splendore di un'opulenza ostentata, ma per loro irraggiungibile» (CA, 33). Nel desiderio di Occidente, insomma.

Quanto alle cause del sottosviluppo, le encicliche brillano per viziosa circolarità. Giovanni Paolo II non intende spiegare il fenomeno ricorrendo ai fantasmi della fatalità (naturale o storica), e inclina a giudicare proprio il supersviluppo consumistico del primo mondo quale responsabile della povertà del terzo (SRS, p. 2119). Analisi infinite volte replicata, ma non per questo solida, di chi descrive il funzionamento economico internazionale (tutt'altro che idilliaco, sia chiaro), come un gioco a somma zero. Lo stesso Wojtyła è consapevole che un autentico fiume di aiuti va poi dissipato negli indecenti rivoli dell'arricchimento forsennato di burocrati e cacicchi locali, e nella tragica palude di abnormi arsenali militari.

Ma è proprio l'orrore per la secolarizzazione, che inibisce al papa perfino di avviare una indagine che fornisca risposta. Si tratterebbe, infatti, di considerare le *precondizioni* dello sviluppo, e il modo di favorirne la diffusione nel terzo mondo. Ma tali precondizioni si chiamano cultura dell'intrapresa e dello Stato di diritto. Cioè, per due volte, cultura dell'*individuo*. E una riduzione *drastica* dei tassi di natalità. Proprio ciò che Wojtyła bolla di anatema.

Eppure, se il terzo mondo è il banco di prova della validità di una dottrina sociale, allora bisogna *gridare* che nessuna ipotesi che non implichi una riduzione radicale della natalità può essere *decentemente* avanzata. È pura menzogna e beffa, infatti, che non sia dimostrato come la crescita demografica sia nel sud del pianeta incompatibile con uno sviluppo ordinato (ivi, p. 2133). Qualsiasi analisi economica seria, quale ne sia l'ideologia che l'ispira, riconosce invece da tempo e senza eccezioni, che senza caduta verticale dei tassi di natalità, per gli ultimi della terra non vi è speranza alcuna di sottrarsi alla condanna della fame. Condanna mostruosa e non fatale, ma sentenziata proprio dalla cattolica virtú che ostracizza la contraccezione. Pure, Wojtyła la preferisce ad una modesta correzione dell'etica sessuale della chiesa, che ai suoi occhi suonerebbe cedimento alla secolarizzazione.

In tema di natalità, perciò, Giovanni Paolo II manifesta un inedito parossismo liberale. Ma la libertà di decisione dei singoli è sacra solo nel senso che ogni campagna per convincere i poveri a limitare il numero dei figli è inammissibile prodromo di razzismo (ivi, pp. 2133-34). Wojtyła scrive «decisione», perciò, ma intende «tradizione», evidentemente. La libertà di scelta vale a senso unico, del resto, poiché la propaganda e la vendita dei contraccettivi dovrebbe essere vietata come contraria al diritto naturale.

Le campagne per abbassare il tasso di natalità, fin qui ahimè senza esiti apprezzabili, sono per il papa manifestazioni contigue al razzismo e al genocidio, ovviamente finanziate da capitali stranieri (ivi, p. 2133). Ma non si tratta di oscuri disegni delle multinazionali (nel restringere il potenziale mercato, oltre tutto, la plutocrazia rivelerebbe uno sconcertante masochismo). In verità, gli organismi internazionali (spesso agenzie dell'Onu), si preoccupano semplicemente di non vanificare gli aiuti economici proprio incentivando l'abbassamento della natalità. E quand'anche li subordinassero ad esso, sarebbe solo razionalità nella solidarietà.

Grida vendetta davanti agli uomini di buona volontà, perciò, l'edificante aberrazione logica, che riconosce contrario all'umana dignità lo sterminio per inedia, ma scomunica poi come «contrarie alla dignità umana... le forme coatte [in realtà solo incentivate] di controllo demografico» (CA, 33), che contro la tortura del sottosviluppo sono ineludibile premessa. E del resto. Chi ha stabilito, a parte il papa, che la pillola del dottor Pinkus sia contraria alla dignità, mentre la spontaneità dei signori Ogino e Knaus, e altre acrobazie del talamo, rappresentino per il sesso il colmo della pienezza umana?

Nessuno pretende da un papa lucidità materialistica e spregiudicatezza costruttiva, nel cercare di porre rimedio ai dolori del mondo. Non si spacci però il suo magistero per una politica di eguaglianza. Wojtyła vuole radicare l'*identità* cattolica dei poveri, innanzitutto e per lo piú per combattere la deriva *laica* dei ricchi, e non per condurre un'azione *effettiva* di lotta alla povertà, per colmare il fossato *materiale* fra gli uni e gli altri. Oltre ogni migliore intenzione, il risultato è solo un invito a fare buon viso cristiano al cattivo gioco degli egoismi, messi indebitamente in conto al materialismo laico.

Capitolo terzo

Un Ottantanove contro l'altro

> Il pericolo della libertà moderna è che, tutti presi nel godimento della nostra indipendenza privata e nel perseguimento dei nostri interessi particolari, non rinunciamo poi troppo facilmente al nostro diritto di condividere il potere politico.
>
> BENJAMIN CONSTANT

Il 1989 chiude un'epoca. Realizza uno di quei rari momenti, quando l'attività umana sbilancia dalla monotonia della routine all'irrompere irriducibile dell'azione, e spezzando la catena degli eventi prevedibili, *crea storia*. Il 1989 segna perciò uno spartiacque.

Alle spalle il tempo dei totalitarismi, giunti anch'essi inaspettati. L'idolatrico ottimismo dei moderni nel progresso si era immaginato un ordinato, costante, inarrestabile radicamento delle libertà, e conseguente loro diffusione dai pochi ai molti e infine ai *tutti*, insieme al benessere del dilagare tecnologico. Quell'ottimismo collassa invece incredulo sotto l'irrompere devastante dell'ebbrezza antidemocratica che incorona i fascismi.

Di fronte, *il tempo che ancora ci appartiene*, interrogativo di speranze e di impegno, che nell'incertezza dei verdetti sempre revocabili ripropone piú che mai attuale l'orizzonte possibile del compimento democratico. *Liberté, égalité*. E *solidarność*, versione aggiornata della *fraternité*. A due secoli di distanza suona perciò identico, nei valori, il compito di chi voglia lasciare questo mondo un po' migliore di come lo ha trovato.

Anzi. La democrazia presa sul serio, con l'impegnativo fondaco delle sue precondizioni (secolarizzazione, responsabilità individuale, Stato di diritto) e il denso sciame delle sue implicazioni ineludibili (dalle politiche sostantive per la promozione di eguali chance di partenza, a quelle contro l'illegalità e la corruzione che vanificano il voto libero ed eguale, per cominciare), diventa piú che mai l'unica risposta auspicabile e *radicale* alla crisi di *inadempienza* che percorre e inquina le democrazie realmente esistenti, minacciandole di tramonto. Il lungo tunnel del totalitarismo di sinistra, del resto, trae origine dalla generosa dismisura teorica con cui il socialismo intendeva sviluppare l'intero spettro delle libertà, e non certo sopprimere la democrazia. In risposta e opposizione, dunque, al liberalismo *dimezzato* di oligarchie borghesi in preda a panico antioperaio, e disposte a svendere *liberté, égalité, fraternité* per un compromesso con troni ed altari. Una vicenda che merita qualche precisazione.

La *modernità interrotta*.

La modernità nasce dall'incontro di scienza piú eresia, abbiamo visto. Duplice fioritura del libero pensiero, che è insieme pegno di benessere e promessa di cittadinanza. Ma mentre la scienza dilaga effettivamente in tecnologia di sviluppo, il bozzolo dell'eresia si acquieta nella libertà di coscienza – sempre sospetta e quindi minacciata, oltrettutto –, anziché completare la metamorfosi fino al potere condiviso. Il promesso eroe della modernità è dunque l'individuo concreto, *eguale* per chance (epperciò per diritti), e di conseguenza libero di accedere a tutti gli strati dell'esistenza. Ma in luogo di questa *singolarità irripetibile*, sovrana per autonomia morale e partecipazione al potere, ci si dovrà accontentare del suo simulacro ideologico: l'individualismo. Risarcimento e consacrazione, in realtà, della *mortificazione* dell'esistenza individuale concreta, unidimensionata a mera replica di un onnicomprensivo homo oeconomicus. Agli antipodi dell'irriproducibile individuo in carne e ossa, perciò, visto che il *calcolemus* esaurisce l'individualità nella identità del trafficare (e per sovrammercato aggiunge l'irrisione di una indifferenza – perché non qualitativa – ma smisurata: l'ammontare dei conti in banca).

La sventura totalitaria nasce dal desiderio di fornire risposta a questo scarto della modernità, e come scorciatoia per colmarlo. Il tragico e colpevole equivoco dei marxismi sarà di giudicare tale scarto non già la posta in gioco di un conflitto dagli esiti aperti, dove proprio grazie alle lotte operaie per la democrazia (nelle quali i comunisti sono spesso all'avanguardia), può essere approssimato anche quel lato costitutivo della modernità che resta la cittadinanza per tutti e il potere condiviso. Bensí, di considerare la limitazione delle libertà e l'opposizione alla loro espansione, insuperabile *essenza* di un universo sociale a determinazione borghese. E di individuarne la radice onniesplicativa e inespiabile, nel *peccato* del mercato e della proprietà privata.

Per cui, invece di contestare la misura del profitto e contrattarne un parziale uso pubblico, piegando il mercato anche a finalità sociali, i marxismi assumeranno l'individualismo quale verità esaustiva del capitalismo, invece che schermo ideologico delle sue inadempienze verso la democrazia degli individui. E la modernità sogneranno di portarla a compimento esclusivamente nella forma di prometeismo egualitario, e soprattutto *contro* l'individuo, azzerandolo nella umanità riconciliata della società organica, dove ciascuno è prototipo dell'intero genere.

Il Reich millenario della bionda belva germanica, costituisce la versione razzista logicamente speculare, benché animata da valori moralmente agli antipodi, di un analogo rifugio nell'allucinazione della comunità organica. Versione reazionaria, perché si rivolge alla tradizione trascorsa della terra e del sangue, anziché ripiegare nel futuro progressista dell'uomo nuovo. E perché nel costituzionalismo borghese combatte esplicitamente la lue della democrazia senza aggettivi, la tabe dell'acquiescenza alle aspirazioni di eguaglianza, la debilitante tolleranza verso l'inferiorità inguaribile dei mezzosangue e altri ebrei. E non il capitalistico inganno di libertà solo formali. Ma il nemico sarà troppe volte comune: l'individuo autonomo.

A Stalingrado, perciò, non combattono innanzittutto il fascismo e l'antifascismo, ma si scontrano in armi la destra e la sinistra hegeliane, opposte pretese ad una medesima «verità» (e conclusione) della Storia, da realizzare attraverso l'orizzonte del comunismo o il dominio dell'ariano superuomo. La seconda guerra mondiale, con la distruzione del mostro hitleriano, non chiude perciò l'epoca delle società *chiuse*. Nella versione del socialismo reale, anzi, la società-contro-l'individuo staccherà i dividendi pattuiti a Jalta, estendendo il suo dominio oltre a Berlino e fin quasi a Trieste. Ma anche nella versione fascista prolungherà la sua esistenza, e perfino la rinnoverà, poiché il lato oscuro dell'Occidente, fra stelle e strisce maccartiste e altre madonne pellegrine, farà il calcolo meschino di mantenere caudillos e colonnelli come diga contro i cosacchi a San Pietro e i barbudos a Santiago.

E allora. Il 1989 chiude senza appello, si spera, quello che non è unilaterale definire il secolo dei totalitarismi. E con ciò si riannoda al primo ottantanove delle libertà, e ne ripropone i valori. Né sembri eccessiva la definizione di «secolo dei totalitarismi». Poiché, in questo tempo che è il nostro, anche laddove il totalitarismo era stato sconfitto, o non aveva mai messo dimora, l'Occidente del patto

atlantico finirà per accomodarsi all'idea di una seconda
Europa stabilmente soggetta alla nomenklatura (cosí come l'Occidente di Monaco aveva unto di legittimità la
Grande Germania dell'imbianchino di Vienna). Non di-
mentichiamo che per interminabili anni, perfino dopo il
golpe di Jaruzelski, nei confronti dei dissidenti che si bat-
tevano per i diritti civili *hic et nunc* (anche *lí*, e subito), gli
establishment occidentali hanno abbondato soprattutto
nella solidarietà della *cautela*.

In nome del realismo e della coesistenza, beninteso, e
con qualche vantaggio per affari e commesse (ma aggiun-
giamoci anche, in questa santa alleanza della pazienza *altrui*, Brandt e Berlinguer e talvolta Mitterand, accanto ad
Agnelli e Giscard). Conservatori di destra e di sinistra,
dunque, unanimi nel dipingere i dissidenti come sognato-
ri eccessivamente impazienti in tema di libertà. Irresponsabili nemici della distensione, perciò, anche e «oggettivamente». L'Occidente dei poteri costituiti e delle opposizioni rispettose, perciò (e tranne rarissime eccezioni), il
dialogo ha preferito intrecciarlo con il Cremlino e i suoi
quisling, o al massimo con la fronda di regime. Business
oblige.

L'ottantanove antitotalitario, insomma, è piombato
sull'Occidente come un fuoco d'artificio non solo impre-
visto ma neppure auspicato, né tanto meno preparato. E
per cancellare la non lusinghiera circostanza, si cerca di *rimuovere*: sia l'arrogante paternalismo con cui la lobby europea dello *statu quo* aveva conclusivamente irriso l'utopia sentimentale dei dissidenti, sia la sovrana impudenza
con cui trasferisce l'*inimmaginabile* (e inimmaginato!) di
ieri nel novero delle ovvietà, *da sempre* considerate apro-
blematiche e perfettamente previste. L'ottantanove delle
libertà post totalitarie viene cosí metabolizzato dall'astuto

spirito di banalità conservatore, per renderlo inoffensivo e tranquillizzante.

Questo rincorrersi piccolo borghese di ipocrisie e rimozioni, spiega il fascino della posizione di Wojtyła, che invece di subire l'esistente totalitario ha scommesso sulla sfida destabilizzante del dissenso. E non deve perciò annettersi *post factum* il carro dei vincitori, occultando la pavidità di ieri nel caotico frastuono dell'acclamazione tardiva. È uno dei vincitori, infatti, il papa che quella sfida ha rilanciato non appena salito sulla cattedra di Pietro, pagando per questo anche il prezzo di un attentato. Perciò la sua interpretazione nasce con la prerogativa della credibilità. Wojtyła dimostra di essere disposto a *pensarlo*, questo 1989 che ha contribuito a far esplodere. Altri anelano invece ad archiviarlo, l'anno del muro, magari mitizzandolo, ma con ciò mitridatizzandosi contro lo spaesamento di affezionate certezze che una sua considerazione critica rischia di produrre. Rinunciamo al mito, allora, e cominciamo piuttosto a disseppellire qualche implicazione sgradevole e qualche circostanza meno edificante.

Le ombre della rivoluzione antitotalitaria.

Pur improvviso e inaspettato, il 1989 è anche la conclusione di un lunghissimo ciclo di lotte aperto dalla rivoluzione operaia del '56 a Budapest. A dimostrazione che per i padroni dell'est uno spavento senza fine sembrò sempre preferibile a una fine spaventosa. Questa cinica saggezza della nuova classe ha finito per essere premiata, d'altro canto, visto che gli esponenti della vecchia nomenklatura totalitaria controllano ancora infinite stanze dei bottoni nei cantieri democratici del post comunismo, mentre nei gangli vitali del nuovo potere, l'emarginazione degli antichi oppositori procede con gli stivali delle sette leghe. La nuova democrazia dell'est è già anche questo, infatti: risentimento e insofferenza contro i dissidenti d'antan, «che rappresentano una sorta di rimorso per la gente che è stata conformista e che oggi pratica la retorica della decomunistizzazione» (Adam Michnik, *Esistenza e politica dopo i comunismi – dialogo con Vaclav Havel*, in «MicroMega» 1/92, p. 44). Gli acquiescenti polacchi che hanno osservato distrattamente per anni (e anni e anni) il vagabondaggio dei Kuroń e Modzelewski e Michnik, «ebrei erranti» dell'eresia marxista prima e della sinistra laica e libertaria poi, da un Pałac Mostowski a una Rakowiecka, vantano oggi il mancato coraggio di ieri come testimonianza di piú radicale e patriottico anticomunismo, e accusano di contiguità con il vecchio regime gli antesignani della lotta contro la nomenklatura (erano di sinistra anche loro, perbacco!), tacendo magari sulle connivenze antisemite tra nazionalismo e comunismo nel 1968 dei Moczar.

Inutile nasconderselo, perciò. La liberazione dal comunismo è tutt'altro che la liberazione da ogni male attraverso il battesimo occidentale. A Mosca e San Pietroburgo, insieme con la privatizzazione e il sogno del mercato, scocca intanto l'ora dei mafiosi e dei prosseneti, e dei piú spaventosamente corrotti fra gli esponenti della deposta nomenklatura. Sono inevitabilmente loro i calamitosi protagonisti dell'accumulazione primitiva in questa stagione di transizione al capitalismo. Chi è stato onesto capitali non può averne. Meno che mai chi si è opposto. Meglio saperlo, dunque: nasce, se nascerà davvero, fra alti pianti di trascurate angherie impunite, e stridor di denti di crescenti iniquità, la democrazia della seconda Europa.

Per non parlare delle emozioni premoderne e relativi fantasmi destabilizzanti, che alimentano l'inquietudine popolare. Sciovinismi, razzismi e altri antisemitismi, per dire. O fondamentalismi religiosi, magari. Sirene di demagogica intolleranza e *cupio dissolvi* di ogni populismo. In precedenza, l'odio contro il regime faceva aggio su ogni altro motivo di conflitto, poteva sublimarlo e tenerlo a freno. Funzionava come epitome espiatoria di ogni altro risentimento. Ora, crollati i regimi ma ancora lontano il regno del benessere, latitante la stratificazione delle libertà nell'ethos diffuso, inafferrabile l'esercizio di un potere condiviso, tornano le soddisfazioni vicarie dell'odio etnico o religioso, i mostri delle identità divoranti, il richiamo viscerale del caino sciovinista.

La metastasi delle guerre civili rischia perciò di caratterizzare i prossimi anni, da Sarajevo al Nagorno Karabak, anche per l'accidia della prima Europa, che dietro l'accattivante alibi del protettorato da evitare (il non intervento come rispetto dei diritti umani. Ogni giorno imbrattati di sangue dai nuovi signori della guerra, in realtà!), maschera il ritorno di tentazioni egemoniche dei singoli paesi. Fra loro conflittuali, perciò, e in grado di escludere *una* politica europea, efficace e risolutiva.

Focalizziamo, infine, il problema dell'est che piú direttamente ci riguarda. La disaffezione che già colpisce in tutti i paesi post comunisti le istituzioni e procedure democratiche appena instaurate ci rimanda, in un gioco di specchi, un segnale di pericolo che parla anche di noi, ingigantito ma non deformato, e perciò allarmante. Nell'ormai lontanissimo 1978, ci vorrà un drammaturgo dell'assurdo, Václav Havel, per intuirlo e anticiparlo sotto entrambi gli aspetti: «Tutto il complesso statico dei partiti politici di massa, ammuffiti, concettualmente verbosi e politicamente attivi per fini propri, che dominano con il loro staff di professionisti e tolgono ai cittadini qualunque concreta e personale responsabilità... difficilmente può essere considerato come la strada futura che porterà l'uomo a ritrovare se stesso» (Václav Havel, *Il potere dei senza potere*, Garzanti, Milano 1991, p. 96).

La risposta a quella compiuta antitesi della democrazia che è il totalitarismo comunista non può essere dunque, *sic et simpliciter*, la democrazia occidentale realmente esistente, poiché essa per prima è in preda ad una eclisse. Non già perché *formale*, ma proprio perché il suo carattere giuridico e rappresentativo sta declinando in finzione. Democrazia *lobotomizzata* perché avvitata nel buco nero della politica (*id est*: cittadinanza) sequestrata e monopolizzata dagli apparati/macchina e dai «professionisti» della cosa pubblica.

Un ceto politico separato, caratterizzato da peculiari interessi propri, di fatto impermeabile al controllo degli elettori – corporazione lacerata bensí da concorrenze virulente, ma fra sosia di deprimente interscambiabilità e infine di omologata corruzione – vanifica l'idea stessa del parlamento e la sua legittimità di *rappresentante* dei cittadini. Checché ne dicano i vigenti oligarchi (partitocratici hard o carismatici soft), o ne sproloquino in contrario le loro cheerleaders massmediatiche. «L'orizzonte profetico delle democrazie» resta infatti ineludibile per ogni democrazia realmente esistente: «chi dice diritti degli individui dice conversione di questi diritti in potenza di tutti, in presa efficace del corpo politico su se stesso. Lungo due secoli ci si è sbagliati sui mezzi per la loro concreta realizzazione. Ciò non vuol dire che il fine non debba rimanere saldo: si tratta di immaginare altre vie, altri strumenti» (Marcel Gauchet, *I nemici della libertà ringraziano i demagoghi di sinistra*, in «MicroMega» 2/92, p. 118). Senza di che la democrazia moderna (delegata, formale) non si ridimensiona dalla poesia degli immortali principî alla prosa del secolo, come vanno inzuccherando gli apologeti dell'esistente, bensí *dilegua*.

Nell'est che si libera, è consolante cecità vedere solo il tripudio del nostro attuale Occidente nel suo approssimarsi di caotica transizione, perciò. Perché è vero anche il contrario. La crisi delle democrazie postcomuniste appena istituite, ci obbliga a guardare in faccia anche la nostra. Meno appariscente, fino ad oggi (fino a ieri?), ma non perciò piú a lungo eludibile. Poiché con il lusso delle sue inadempienze e altri «realismi», sta ingrassando di popolarità e pericolo l'arroganza delle destre vecchie e nuove. La lezione del 1989 impone dunque di rilanciare e sviluppare proprio il lato del 1789 rimasto in questi due secoli anchilosato, sacrificato, compromesso, e da ultimo teorizzato nella sua eclissi: il potere condiviso.

La rivoluzione antitotalitaria che in due mesi ha stravolto la carta e il destino d'Europa non può perciò essere avvilita a narcisistica dimostrazione dell'eccellenza dell'Occidente quale esso è, e utilizzata una volta di piú per sostituire il compiacimento (e la rimozione) allo spirito critico.

Giudizio di Dio.

Agli occhi di Wojtyła, tutto questo indica che il 1989 vale soprattutto come *giudizio di Dio*.

Si tratta, in primo luogo, della rivincita di Leone, dell'adempimento della sua profezia. Non era con il socialismo che il proletariato si sarebbe emancipato, ma al seguito del suo flauto magico si sarebbe anzi definitivamente perduto. Ora è sperabile che il mondo abbia imparato la lezione. Evitino gli uomini di aspettare che la storia debba di nuovo fare giustizia, e seppellire in un futuro prossimo venturo, come già fece il 1989 con i marxismi, anche gli altri nefandi errori già denunciati da Leone: il razionalismo e il liberalismo, fautori di una «assurda e pretta licenza» (LP, p. 408), cioè dell'aberrante pretesa che l'umana ragione sia autonoma e sovrana. «Opinioni che con la stessa enormità loro fanno orrore» (ivi, p. 409), e che Wojtyła, con l'encomiastica citazione della *Libertas praestantissimum* (CA, 4), si augura che tornino all'indice nella coscienza e nelle istituzioni dei contemporanei.

Seguiamo piú da vicino l'argomentazione omiletica di Karol Wojtyła. La rivoluzione pacifica, che ha fatto uso solo «delle armi della verità e della giustizia... facendo appello alla coscienza dell'avversario e cercando di risvegliare in lui il senso della comune dignità umana» (ivi, 23), invece di praticare la violenza marxista, costituisce per i paesi dell'est Europa «il vero inizio del dopoguerra» (ivi, 28), con la sua faticosa ma promettente ricostruzione, materiale e morale. Questa pietra miliare che è il 1989 nasce, nella lettura del papa polacco, da fattori obiettivi come «la violazione dei diritti del lavoro» (ivi, 23), «l'inefficienza del sistema economico» (ivi, 24), la spoliazione della «dimensione nazionale e culturale» (*ibid.*). E da fattori soggettivi, primo fra tutti «l'impegno importante anzi decisivo della chiesa per i diritti umani» (ivi, 22).

Il significato piú profondo dell'ottantanove antitotalitario, perciò, andrà ricercato in quel misericordioso segno dei tempi costituito dall'«*incontro tra la chiesa e il movimento operaio*» (ivi, 26), e che finalmente porta alla luce, liberate dal bozzolo soffocante di un secolo di egemonia marxista, «le forme spontanee della coscienza operaia... conformi alla dottrina sociale della chiesa» (*ibid.*), fin qui irretite e conculcate dalle mene degli «uomini turbolenti e astuti» (RN, p. 435). Se i lavoratori di Danzica portano al successo la loro mobilitazione, perciò, è perché hanno «rinunciato alla lotta di classe» (CA, 23), e restaurato con ciò la loro identità cristiana. La croce non solo è piú santa,

ma anche piú efficace della «lotta di classe». Bastava ram-
mentarlo, del resto: *in hoc signo vinces!*

È ormai chiaro in che senso alcune settimane di lotta
nel fazzoletto orientale della vecchia Europa abbiano per
Karol Wojtyła una «importanza universale». Con il loro
carattere cristianamente pacifico e insieme vincente, di-
mostrano a chi nel terzo mondo intende restare «dalla parte degli oppressi» che «l'impossibile compromesso
tra marxismo e cristianesimo» è oltretutto superfluo,
mentre proprio l'obbedienza all'ortodossia consente di
realizzare l'emancipazione dei diseredati predicata dalla
teologia della liberazione. Che ora, epurata dalle contami-
nazioni marxiste, si *accresce*. È divenuta la «autentica teologia dell'integrale liberazione umana» (ivi, 26).

Il 1989 segna dunque la disfatta ideologica e pratica del
comunismo, ma non l'apoteosi dell'Occidente, tuttora incapace, nell'accanimento irreligioso del suo egoistico
edonismo, di eliminare «nel mondo le situazioni di ingiustizia e di oppressione, da cui il marxismo stesso, stru-
mentalizzandole, traeva alimento» (*ibid.*). Non si illuda il
borghese, perciò, e neppure l'ateo libertario che all'esistente immagina di opporsi criticamente. Lo storico capovolgimento del 1989 è «nato dalla preghiera» (ivi, 25), e
stabilisce al di là di ogni ragionevole dubbio l'attualità e la
necessità anche mondane della nuova evangelizzazione.
Con le parole del cardinale arcivescovo di Parigi: «La nostra epoca si dichiara postmoderna. È possibile: essa non
è però postcristiana». Tutto al contrario: «Noi siamo agli
inizi dell'era cristiana» (Jean-Marie Lustiger, *La novità
del Cristo e la postmodernità*, in «Communio», marzo-
aprile 1990, pp. 87 e 82, sott. mia).

Si tratta di una interpretazione suggestiva, ma di comodo. Essa ha il merito di ridicolizzare le trionfalistiche ame-
nità sulla «fine della storia» decretate da qualche spirito

borghese gonfio solo di banalità e incultura, ma mescola poi motivi di appassionata lucidità con spericolate deduzioni e pastorali omissioni, poiché deve leggere gli inediti eventi alla luce di una conclusione già predisposta: scoprire all'opera nella storia l'attività carsica della provvidenza divina, che proprio col 1989 riemergerebbe prepotente. E dunque, sotto la scorza essoterica del caos delle volontà umane e di quanto in esso è riconducibile ai nessi delle spiegazioni causali, deve presupporre lo scorrere di una piú autentica storia, quella esoterica della salvezza, guidata da Dio, «Signore della storia, che ha nelle sue mani il cuore degli uomini» (CA, 25). Ma solo questa concezione di una storia comunque e da sempre pregiudicata, consente a Wojtyła di presentare il 1989 come tripudio di rivincita cristiana, ancorché inquietante di contraddizioni. Costringendolo ad adattare i fatti, però.

Cominciamo dalla identificazione dei protagonisti, dal soggetto della pacifica rivoluzione. Da quel *chi*, capace di «lucidità, moderazione, sofferenze e sacrifici» che ha guidato e alimentato «la lotta che ha portato ai cambiamenti dell'89» (*ibid.*). Qui il papa polacco intende fissare un capisaldo essenziale per la sua ermeneutica. E cioè. Solo «un'illimitata fiducia in Dio, Signore della storia» e il riconoscimento del primato della preghiera, consentirebbe di «scorgere» (ma soprattutto di praticare, evidentemente), «il sentiero spesso angusto tra la viltà che cede al male e la violenza che, illudendosi di combatterlo, lo aggrava» (*ibid.*). Di respingere l'apparente alternativa fra rivoluzione e rassegnazione, e compiere invece la scelta morale ed efficace che condurrà, in nome della verità cristiana, al disgregarsi del comunismo.

Queste affermazioni, insieme alla già ricordata rivendicazione del contributo «decisivo» della chiesa, proiettano retrospettivamente, e in modo del tutto fuorviante, l'alone della madonna nera, della quale Lech Wałęsa non spoglierà mai la sua giacca, sull'intera avventura che ha preparato e prodotto, lungo un percorso niente affatto lineare, in Polonia come altrove, la liberazione del 1989. Bisognerà allora ricordare con fermezza che il cattolicesimo non sarà mai l'ideologia di Solidarność, malgrado la viva fede apostolica romana di tanti suoi membri.

E soprattutto. Che furono proprio i dissidenti delle eresie marxiste, di un trozkismo interpretato in chiave libertaria dapprima, e di un oltrepassamento del marxismo di stampo democratico laico-radicale poi, a immaginare il colpo d'ala di una strategia che rompeva con i dilemmi datati, ma piú che mai vivi ed acuti dopo la sconfitta della primavera di Praga, fra riforme o rivoluzione, dal basso o dall'alto, per via pacifica o anche violenta, privilegiando la lotta sociale o quella politica, che riferite questa volta alla lotta contro il totalitarismo, rischiavano di condannare il dissenso al limbo della testimonianza, invece che costituirlo in catalizzatore del cambiamento.

Per ragioni di chiarezza si impone a questo punto una lunga, ancorché sommaria, digressione sulla natura del totalitarismo.

La macchina totalitaria.

Totalitarismo è stato termine tassativamente impopolare presso la politica e la cultura progressista. Il suo semplice uso sarà a lungo considerato inammissibile cedimento a una categoria di destra. Malgrado la notorietà e diffusione del termine si debba alla monumentale indagine di Hannah Arendt, figura intellettuale radicale tanto sotto il profilo filosofico del suo esistenzialismo libertario quanto sotto quello politico del suo impegno antiautoritario

(Paolo Flores d'Arcais, *Esistenza e libertà – a partire da Hannah Arendt*, Marietti, Genova 1990). I settori della sinistra critici dello stalinismo, perciò, sia da sponde rivoluzionarie che da lidi riformisti, si arrovelleranno instancabilmente sulla «natura sociale dell'Urss», dissipando tesori di sapienza analitica nel tentativo di evitare una tesi – quella del totalitarismo, appunto – che oltre ad accomunare Stalin (e inevitabilmente Lenin) con Hitler e Mussolini, ha soprattutto il torto di assumere spiegazioni «sovrastrutturali», che non privilegiano la sfera dell'economia. Pure, proprio il carattere *sovrastrutturale* del sistema totalitario costituisce il suo segreto, il suo tratto specifico, la ragione della sua ottusa compattezza di moloch ma anche della sua virtuale fragilità. La sua *struttura* piú autentica, insomma.

Totalitarismo non può alludere alla semplice somma di un modo di produzione basato sul monopolio statale, piú un ordinamento politico basato sullo strapotere del partito unico, piú una vita culturale e spirituale fondata sulla vincolante ideologia di regime. E, a chiudere il cerchio, la sistematica repressione della censura, della polizia segreta, dei lager, che garantisce quel triplice monopolio contro ogni contestazione. Il totalitarismo è tutto questo, certamente. Ma costituisce soprattutto l'instaurazione dispiegata e onnipervasiva dei *rapporti anonimi*. La repubblica socialista dei cittadini *replicanti*, cyborg apatici nel regno opaco del conformismo burocratico. Questa *cloroformizzazione* delle identità individuali (e relative responsabilità), assai piú che la statalizzazione integrale dell'economia, vale come elemento peculiare, decisivo, caratterizzante, *strutturale*, appunto, dell'universo totalitario.

Ogni individuo è recluso e isolato proprio nel riprodursi dei rapporti sociali, poiché il meccanismo totalitario realizza la generale impossibilità della comunicazione interpersonale. Ciascuno, infatti, per rivolgersi all'altro e quale che sia il genere di messaggio, è costretto ad utilizzare la mediazione dell'unico linguaggio ammesso e disponibile, i geroglifici del potere. Nessuno è in rapporto diretto con l'altro. Ciascuno è in rapporto diretto esclusivamente con il codice del potere, ineludibile *medium* di menzogna. Per comunicare, quindi (e comunicare è consustanziale ad esistere), ciascuno deve intanto *obbedire*. Non solo e non tanto al diretto superiore, ma al discorso del potere, l'unico attraverso cui parlare, e che pervade ogni fibra della vita sociale.

La struttura dell'universo totalitario è certamente gerarchica. Anzi, smisuratamente e ossessivamente gerarchica. L'accesso alle ricchezze materiali, come alle informazioni riservate, è regolato secondo una minuziosa scala di privilegi da far invidia agli eunuchi del celeste impero e altre burocrazie mandarine. Lo stesso termine di «nomenklatura», del resto, nasce proprio dalle liste ufficiali degli «aventi diritto» (proprio cosí!) a determinati privilegi.

Ma la struttura del potere è anche circolare. Meglio, inscindibilmente duplice: gerarchica e circolare. «Noi» e «loro», la nomenklatura e i sudditi, non sono due campi che si oppongono e fronteggiano lungo confini evidenti. La logica piramidale è indiscutibile e inequivoca, dal politburo di Lenin allo zek di Solženicyn. Ma non esaurisce lo stratificarsi della società. La partecipazione alla «vita di menzogna» che il totalitarismo impone, realizza rapporti che quotidianamente invischiano, e rendono ciascuno complice e corresponsabile, non metaforicamente, della perpetuazione di un potere anonimo e onnipervasivo.

Per capirlo meglio, ascoltiamo la parabola dell'erbivendolo e dell'impiegata, formidabile pezzo di fenomenologia che apre *Moc bezmocnych* (trad. it. *Il potere dei senza potere*, Garzanti, Milano 1991) di Václav Havel, alla cui analisi del totalitarismo ci stiamo del resto largamente riferendo.

Un erbivendolo espone in vetrina, accanto a patate e pomodori, gli striscioni di ordinanza che inneggiano al regime e ai suoi successi. Una impiegata di qualche amministrazione, che frequenta il negozio attenta alle rare merci e senza neppure accorgersi di quella ordinaria propaganda, espone striscioni eguali nell'ufficio dove trascorre la giornata, di fronte alla coda di utenti che quegli striscioni attraversano con occhi stremati di burocrazia.

L'erbivendolo e l'impiegata hanno compiuto entrambi, nel mettere quegli striscioni, un gesto di pura routine. Che non implica alcuna solidarietà con il regime. Alcun consenso. Gesti di conformismo, certamente, ma scontati e perciò inoffensivi. Ciascuno sa, infatti, che anche ogni altro sa, che quegli slogan dicono il falso. Nessuno li legge, d'altronde, proprio consapevole che possiedono un valore semantico eguale a zero. Ciascuno sa che esponendoli non trarrà in inganno nessuno, e dunque ripete un gesto che tutti sanno ininfluente.

E tuttavia. Ciascuno ha intanto obbedito, e soprattutto, invocando la banalità della routine, cerca di sottrarsi alla coscienza dell'umiliazione. Nella finzione di un noncurante realismo, tra buonafede e ipocrisia, ciascuno intanto occulta e rimuove l'essenziale: il gesto cui si è piegato è certamente superfluo, poiché lo slogan non comunica nulla, ma è anche rituale, e sotto questo profilo comunica moltissimo, poiché palesa ed esibisce a tutti l'appartenenza/sottomissione di tutti ad un codice che tutti sanno vuoto di contenuti. E dunque l'invischiamento/sottomissione di tutti al potere che quel codice di menzogna impone di usare e attraverso il quale si legittima.

«L'erbivendolo e l'impiegata si adattano alle circostanze, ma entrambi – proprio per questo – creano queste circostanze» (Václav Havel, *Il potere dei senza potere*, cit., p. 24). In questo modo ciascuno aiuta l'altro a mantenersi nell'obbedienza, nel duplice senso che lo incoraggia e lo giustifica, che lo controlla e gli fornisce un alibi, che lo invischia e lo deresponsabilizza. Il conflitto non contrappone più due classi, benché la struttura gerarchico-piramidale possieda una evidente valenza dicotomica, ma due modalità di esistenza che convivono e si affrontano, sebbene secondo sfacciate asimmetrie, all'interno di *ciascun* individuo. Perfino i capi della nomenklatura vengono trascinati in questa esistenza rovesciata, devono conformare parole e azioni al mummificato linguaggio dell'ideologia, che meglio di ogni altro conoscono per insignificante. Devono restare intrappolati in quella logica della disinformazione e della censura che costituisce strumento peraltro inevitabile del loro dominio. Władisław Bienkowski, braccio destro di Gomułka nel 1956 ma già dissidente tre anni più tardi, ha definito «gioco a mosca cieca» l'autoinganno sistematico cui il potere non può fare a meno di condannarsi (*Burocrazia e potere socialista*, Laterza, Bari 1970, cap. x). Le crisi e infine la caduta dei regimi comunisti hanno confermato la puntualità di quella analisi. Il golem di censura del grande fratello finisce per gettare un velo di cecità anche sull'occhio poliziesco dei vertici del regime.

Il totalitarismo è un dispositivo spersonalizzante di gigantesca affidabilità, che si alimenta soprattutto dello scoraggiamento indotto dall'oppressione, e dalla conseguente apatia quotidiana dei sudditi. Naturalmente: repressione e terrore funzionano da insostituibile impalcatura, oltre che da orizzonte di minaccia permanente, lo abbiamo già ricordato. Senza di essi il regime non sopravviverebbe un minuto di più, va da sé. Ma non sono il meccanismo stesso. Parlare di semplice dittatura o stato di polizia sarebbe perciò fuorviante, piú che riduttivo o eufemistico. Il totalitarismo è un mondo capovolto dove ciascuno diventa apprendista stregone del potere che utilizza o della rassegnazione cui si consegna. Perfino l'ideologia, che nasce come ancella del potere e sua giustificazione spirituale, perciò, finisce per asservire a sé il potere, benché la falsità dei dogmi sia evidente in primo luogo ai padroni della nomenklatura, condannati ad essere le vestali di quella ideologia.

Per stringere. Il totalitarismo è un compiuto sistema di alienazione. E non a caso. Poiché nella sua essenza costituisce la drastica soppressione dell'autonomia dell'individuo, la negazione conclusiva del progetto illuminista di umane volontà disincantate che si dànno liberamente la propria legge. Esprime dunque in forma ipertrofica, moderna, *industriale*, un atteggiamento niente affatto inedito: l'annientamento della singolarità come concretezza mai esauribile nella sua appartenenza ad un gruppo, una classe, una nazione, una fede, un interesse. Ma sempre eccessiva rispetto a ciascuna di queste determinazioni e al loro insieme. E solo in questo eccesso, irripetibile.

Verità comunista e verità cattolica.

Diversamente per Wojtyła. Per il successore di Pietro «il totalitarismo, nella forma del marxismo leninismo» è certamente *anche* l'arroganza del potere assoluto il cui esercizio è fondato sulla pretesa «che alcuni uomini, in virtú di una piú profonda conoscenza delle leggi di sviluppo della società, o per una particolare collocazione di classe o per un contatto con le sorgenti piú profonde della coscienza collettiva, sono esenti dall'errore» (CA, 44). La smisurata pretesa di possedere le chiavi dell'arca della verità, insomma.

Ma subito dopo, con un sorprendente capovolgimento di registro logico, il totalitarismo viene caratterizzato non già come ipoteca sulla verità ma come *negazione* della verità (*ibid.*). Nel ragionamento edificante di Giovanni Paolo II, e in uggia alla «contraddizion che nol consente», le due opposte accuse possono cattolicamente convivere, solo al prezzo di una discriminazione: condannare la verità dei comunisti, e la loro fede in una dialettica della storia, con l'aggettivo di «soggettiva». E battezzare quella cattolica con il privilegio di «verità in senso oggettivo», solo perché proclamata *urbi et orbi* dalla chiesa di Roma. Queste opposte determinazioni, riferite ad analoghe benché concorrenti certezze di verità, possono dunque risultare persuasive solo agli occhi di una fede già presupposta, ma non possono ambire a qualsivoglia corroborazione mondana. La logica delle due pretese, infatti, è assolutamente identica ed egualmente infondabile.

Si tratta infatti di due versioni particolarmente dogmatiche di cognitivismo etico e storicistico, che si sottraggono dunque alla confutazione e alla falsificazione. Il papa e il segretario generale ritengono, all'unisono, che il *dover* essere delle azioni umane, per quanto libere esse *possano* essere, debba comunque fondarsi sull'obbedienza all'*essere*, su una prescrizione indipendente dalle scelte e dalla volontà degli uomini, e già ontologicamente iscritta nel mondo come suo programma genetico, si tratti del *fiat* divino o del «processo reale che abolisce il presente stato di cose» di cui parla Marx. Norma *costitutiva* dei fatti, perciò. Rivelata in tavole incise presso un roveto ardente, o nei mai completati tomi delle *Marx-Engels Gesamtausgabe*. *Mussen* e *sollen* al medesimo tempo, comunque. Ed è quello che conta.

Invece di riconoscere che nell'ambito della morale abbiamo a che fare esclusivamente con opinioni e scelte (benché non tutte argomentabili con lo stesso peso e soprattutto con la stessa coerenza), e dunque con una catena di ragionamento il cui ultimo anello è disperatamente infondabile, il prete e il commissario assumono di *conoscere* la verità del dovere, e di conseguenza intimano il dovere della verità: praticare l'obbedienza a Dio, o alla dialettica della storia. Imporre, del resto, in questa prospettiva suona perfino altruistico, oltre che logico. Se per via teologica o di dialettica storica, il dovuto comportamento morale può essere accertato con sicura scienza, perché non donarla coattivamente a tutti, questa verità, e per il loro bene (*ad maiorem Dei gloriam* o per il trionfo del comunismo)?

È bensí vero, allora, che «la cultura e la prassi del totalitarismo comportano anche la negazione della chiesa. Lo Stato, oppure il partito, che ritiene di poter realizzare nella storia il bene assoluto e si erge al di sopra di tutti i valori, non può tollerare che sia affermato un *criterio oggettivo del bene e del male* oltre la volontà dei governanti, il quale, in determinate circostanze, può servire a giudicare il loro comportamento. Ciò spiega perché il totalitarismo cerca di distruggere la chiesa o, almeno, di assoggettarla, facendola strumento del proprio apparato ideologico» (CA, 45).

Ma ciò avviene perché il partito avanza la *medesima* pretesa della chiesa al titolo esclusivo di rabdomante del bene e del male, di custode della verità etico-storica, e crede semmai di avere un titolo in piú da esibire: non l'inafferrabile dono della fede, ma le positive attestazioni dell'empiria sociale. Titolo del tutto abusivo, sia chiaro, ma proprio perché anche in questo caso non di scienza si tratta, ma di fede. Nel regno del futuro umano la «scienza» sarà sempre di cartomanti e altri astrologhi. Se c'è una lezione del 1989, cometa di libertà da *nessuno* prevista, è decisamente questa. Del resto, non siamo in grado di predire neppure cosa sogneremo questa notte.

Si tratta, insomma, di un tradizionale conflitto di competenze, di concorrenza intrattabile fra giurisdizioni. E la logica è la stessa perché, trascendenza o immanenza, sarà poi sempre *un uomo* a pronunciare cosa sia verità, a nome di chiunque e checchessia pretenda di pronunciarla. E perché in entrambi i casi la verità che si annuncia vale anche come storia di salvezza. Che può inverarsi un giorno in questa valle di lacrime, privilegiando un frammento storico della catena umana, oppure nell'aldilà eterno, aperto però a tutti gli uomini di buona volontà. Piú coerente quest'ultima proposta, nell'ambito dell'indecidibile delle fedi, è forse tutto quello che si può dire a sostegno di papa Wojtyła (e se non fosse per il mai risolto groviglio del destino di dannazione che incombe su quanti non hanno conosciuto Cristo, e delle infinite eresie intorno a libero e servo arbitrio).

Ma Giovanni Paolo II si spinge oltre: «Se non esiste una verità trascendente, obbedendo alla quale l'uomo acquista la sua piena identità, allora non esiste nessun principio che garantisce giusti rapporti fra gli uomini... allora trionfa la forza del potere, e ciascuno tende a utilizzare fino in fondo i mezzi di cui dispone... allora l'uomo viene rispettato solo nella misura in cui è possibile strumentalizzarlo per una affermazione egoistica. La radice del moderno totalitarismo, dunque, è da individuare nella negazione della trascendente dignità» (ivi, 44). Il capovolgimento è adesso completo. Totalitarismo non significa piú quello che storicamente è stato (e presso un miliardo e passa di uomini cerca di restare ancora), la negazione di quel frammento irriducibile di essere che è ciascuna esistenza individuale, con il suo progetto di dover essere autonomo e aperto allo scacco. Non significa, in definitiva e come è stato in realtà, negazione della dignità immanente di ciascuno individuo, vale a dire della sua libera opinione di soggetto morale, che è tale perché *sceglie*, ma il suo opposto: negazione della dignità *trascendente*, che solo in Dio, via verità e vita, trova la sua radice.

L'arcano strutturale del totalitarismo consiste in ciò: che gli individui *cessano* di fronte alla verità *una* che intende porre fine al regno della soggettività. Ma per il papa il totalitarismo è invece l'orgia arbitraria delle volontà individuali, deliranti nella frenesia di una scelta morale libera, invece che rasserenate nell'obbedienza alla verità *una*. Antinomia di un paradosso che vale come sismografo del senso riposto che caratterizza l'antitotalitarismo cattolico. E cioè. Alla fede totalitaria dei comunismi Karol Wojtyła vuole dimostrare che si può opporre solo la *totalità* della cattolica verità di fede.

La strategia del dissenso.

Ora possiamo tornare alle strategie messe in atto dal dissenso per piegare i regimi totalitari. Se tutto il sistema si regge in definitiva sulla obbedienza interiorizzata a un castello di menzogne che spersonalizza atomizza e deresponsabilizza (la pretesa di una verità morale e storica *obiettiva*). Se ciascuno crea, cioè riproduce e rafforza, questo sistema ogniqualvolta si adegui al conformismo degli altri. Allora, perché il regime rischi un collasso fino al giorno prima considerato irrealistico, basterà che ciascuno viva frammenti di autenticità contro la routine e la opacità della menzogna. Quali circostanze possano catalizzare un generale sottrarsi alla cieca regolarità dell'esistenza umiliata a ingranaggio del sistema, non è prevedibile né tanto meno programmabile.

L'alternativa al regime non si costruisce perciò attraverso la tradizionale lotta politica, che ha per posta il potere, come fu nel '56 e nel '68, ma attraverso quella che Havel definirà *rivoluzione esistenziale*, e che consiste nel volersi come individui, decidendosi per la responsabilità e il rischio di una identità propria, fondata sulla elaborazione di una libera (e perciò opinabile) scelta etica. Praticando due aurei precetti.

Agire concretamente. Poiché ogni gesto, anche piccolo, che realizzi differenza di comportamento e opinione, produce con ciò identità umana e sventa il progetto del potere, che intende omologare ogni sfera dell'esistenza ad una sola verità.

Agire senza calcolo, secondo la logica di un'ingenuità consapevole. Prendendo il potere alla lettera quando racconta di diritti, legalità, eguaglianza, perché il regime soprattutto di questo ha bisogno: che nessuno esiga dalla nomenklatura la coerenza fra discorso e realtà (è la Grundnorm non scritta che regge tutto l'edificio totalitario).

La strategia del dissenso sarà perciò quella di non affrontare esplicitamente il potere, di non contestarne le leggi, ma in primo luogo di chiederne il rigoroso rispetto, e di costruire su questa base una società parallela, quella società *civile* che il totalitarismo deve sempre e daccapo soffocare in fasce. Kis e Harazsty in Ungheria, *Charta '77* in Cecoslovacchia, piccoli nuclei di evangelici, verdi, pacifisti e comunisti eretici nella Germania est, si muoveranno secondo questa prospettiva radicalmente nuova. Che coglierà i suoi successi esemplari in Polonia, dove, sotto l'impulso di Kuroń e Michnik, si moltiplicheranno le case editrici, le università, le associazioni contadine, gli organismi di sostegno agli operai perseguitati per sciopero. Insomma, un intero universo di esistenza e solidarietà parallele secondo una strategia di autonomie dispiegate, di comunicazione personale non mediata dal codice del potere.

Questa l'intelligenza, la pazienza, e anche l'ironia, dell'indignazione laica. Che contro l'esistente totalitario e negli interminabili anni di una stagnazione in apparenza inossidabile, seppe trovare e tener ferma, tra viltà accomodante e inefficacia del violento scontro frontale, proprio quella rotta che invece *non* praticò la chiesa. Sia detto senza polemica ma nel doveroso rispetto dei fatti. La chiesa, nel migliore dei casi, mise a disposizione del dissenso gli spazi di tolleranza per una fronda contrattata con il regime. Niente di scandaloso, magari. E parecchio di utile, piú di una volta. Ma non fu la chiesa a costruire e costituire il movimento di lotta contro il totalitarismo. Del resto, per un arcivescovo di Cracovia che ospitava nelle colonne del settimanale cattolico «Tygodnik powszechny» gli articoli di un certo Andrzej Zagozda, che tutti sapevano corrispondere all'ateo Adam Michnik, vi era un cardinal primate pronto solo a chiedere cautela e a pretendere in cambio il monopolio della trattativa con il governo, per un totalitarismo piú soft e qualche spazio alla pastura d'anime.

Del resto in Cecoslovacchia, non ieri ma *oggi*, numerosi preti e perfino qualche vescovo, ordinati clandestinamente negli anni della persecuzione, spesso protagonisti della resistenza anticomunista, sono sottoposti a minuziose indagini e alla minaccia di canoniche sanzioni, poiché nel tempo della lotta in molti casi hanno contraddetto il voto di castità e si sono sposati. La «testimonianza spesso eroica di non pochi pastori» (ivi, 22), riconosciuta con giusto orgoglio e rivendicata a titolo di merito per l'intera chiesa,

lascia ora il posto al richiamo disciplinare e alla prospettiva di piú vessatorie sanzioni, poiché l'eroismo sessuofobico della castità resta evidentemente piú apprezzato nelle
cappelle sistina di Daniele Ricciarelli da Volterra, detto il
Braghettone, rispetto all'eroismo senza aggettivi dei lun-
ghi anni di impegno antitotalitario. Resistere alle lusinghe
della femmina fa ancora cattolicamente aggio, nella carità della curia vaticana, sull'aver resistito all'intimidazione
che suonava all'ora del lattaio, in una inconfondibile divisa borghese.

La storia laica del dissenso.

L'interpretazione del 1989 elaborata da Wojtyła intende ricondurre una conquista che fu soprattutto laica, il
primato del diritto e della morale, in seno all'ortodossia
apostolica romana. Ricordando che «difendendo la propria libertà, la chiesa difende la persona» (ivi, 45), Wojtyła sembra semplicemente richiamare una politica di colla-
borazione con il dissenso in vista dei diritti civili, che fu
anche la sua fin dai tempi di Cracovia (ma spesso in polemica con Stefan Wyszynski, abbiamo visto). Malaugura-
tamente, le cose non stanno cosí. La strategia dei diritti civili, seguita dal dissenso, intende promuovere la solidarietà fra individui portatori di libere opinioni, e non dunque
la sussunzione di ciascuno sotto la cupola di una vincolante verità. Proprio questa, anzi, è la logica del totalitarismo
che si vuole smantellare. Diversamente il papa polacco.
Leggiamo per intero la citazione appena riportata. «Difendendo la propria libertà, la chiesa difende la persona,
che deve obbedire a Dio piuttosto che agli uomini» (sott.
mia). Dunque non già il diritto alla libertà per ciascun individuo, ma l'universale dovere di obbedienza al magiste-

ro infallibile del papa, vicario del Dio incarnato. Due logiche incompatibili. Il dissenso laico rivendica in modo intransigente la libertà religiosa come articolazione incomprimibile delle piú generali libertà civili. Karol Wojtyła comprime le libertà di tutti nella monopolistica libertà della chiesa. Sfuma nella retorica, perciò, la successiva affermazione che la chiesa, sempre difendendo la propria libertà, difenda anche la sovranità delle realtà sociali, nazionali, familiari, la cui autonomia il totalitarismo conculcava. Poiché anche l'autonomia che la chiesa riserva loro ha nome obbedienza.

Proseguiamo. Wojtyła ha insistito sul carattere non violento del 1989 quale dimostrazione della sua matrice evangelica. Ma la non violenza dei dissidenti risulta efficace perché una nomenklatura indebolita, divisa, nella stagnazione di una lunga decadenza economica, sconcertata e stralunata dalle iniziative gorbacioviane, non può permettersi l'isolamento in cui la piomberebbe una Tien an men europea magari formato magnum. Ma questo non significa fondare la propria lotta sull'appello alla benevolenza o alla coscienza dell'avversario, come intima Leone e ribadisce Wojtyła un secolo piú tardi «cercando di risvegliare in lui il senso della comune dignità umana» (ivi, 23). Contro il totalitarismo la rinuncia alla violenza può essere solo una questione di opportunità politica, non certo un principio etico. Il fascismo spagnolo è finito anche per il corpo in pezzi dell'ammiraglio Carrero Blanco, unico che avrebbe potuto prolungare il franchismo oltre Franco, e l'attentato a Pinochet era contestabile, eventualmente, solo per i suoi effetti controproducenti. Il diritto di resistenza di Locke e l'ancora piú antica liceità del tirannicidio non vengono affatto gettati nella cantina del robivecchi dalle vittoriose avventure del dissenso.

E suona altrettanto falsa (e forse ancor piú) l'affermazione che il movimento antitotalitario abbia « rinunciato alla lotta di classe nelle controversie interne» (*ibid.*). Ha scelto di rifiutarla nella sua versione leniniana (ma non in quella luxemburghiana o riformista), per assumerla invece in una accezione che solo il pregiudizio può spacciare per evangelica, visto che dissidenti e lavoratori non hanno mai inteso porgere altre guance ma anzi colpire di piú efficaci montanti il volto ormai groggy del totalitarismo in crisi.

A questo punto, anche l'affermazione apparentemente ovvia secondo cui «il fattore decisivo, che ha avviato i cambiamenti, è certamente la violazione dei diritti del lavoro» (*ibid.*), si palesa sorprendente di trabocchetti, poiché stempera la genesi del movimento operaio in Polonia, in una omissione niente affatto innocente del crogiuolo senza il quale il sindacato di Solidarność non sarebbe mai nato: decenni di dissenso *laico* e di sinistra. Si tratta di una storia ininterrotta, che vede la sinistra giovanile comunista (revisionista con tinte trozkisteggianti) del '56, raccolta attorno alle pagine leggendarie e ben presto proibite di «Po prostu», iniziare una spietata analisi critica (e autocritica) che costerà oltre quattro anni di carcere a Kuroń e Modzelewski già nel 1964 per la loro *Lettera aperta al Comitato centrale del Poup*, e la successiva espulsione dal partito di Kołakowski e Pomian, e il movimento studentesco di Michnik e Smolar che nel '68 conduce all'occupazione delle università con la parola d'ordine «non c'è pane senza libertà», e la repressione nazionalista e antisemita del generale Moczar, ministro comunista degli interni, e con le decine di condanne al carcere e non pochi esempi di esilio coatto, e la seconda condanna di Kuroń e Modzelewski, e l'occupazione dei cantieri di Stettino nel 1970 capeggiate dal trozkista Bałuta, fino alla repressione degli scioperanti di Radom nel 1976, in difesa dei quali nasce per iniziativa di Kuroń il Kor, incunambolo di Solidarność.

La genericità della formulazione serve perciò a Wojtyła da inconscio preludio alla propedeutica rimozione della storia laica e di sinistra del dissenso, in virtú della quale il 1989 viene magnificato, ma in definitiva rimpicciolito, come svolta d'epoca di portata universale che finalmente ha realizzato l'incontro fra chiesa e movimento operaio. Incontro *congiunturale*, in realtà, e già largamente consumato, come hanno dimostrato i deludenti esiti del piú recente viaggio in Polonia.

La domanda esistenziale.

Queste forzature sono invece centrali nel discorso di Wojtyła. Il primo passo consiste nel presumere la cattolicità di un segmento particolare del movimento operaio. Il secondo consiste nel proiettare all'indietro, addirittura lungo un intero secolo, il carattere cattolico del movimento operaio in generale. Al punto di spacciare per movimento operaio tout court, quello esile e minoritario nato dal magistero di Leone. In opposizione al movimento operaio effettivamente efficace sul piano storico, quello socialista, al quale viene sottratto il merito – trasferito sfacciatamente a Leone – delle importanti riforme che hanno trasformato il volto del capitalismo e delle società occidentali (attraverso la vituperata lotta di classe). Anacronismo e *contraddizione*. Poiché al contempo si confessa che «detto movimento» era poi finito nelle grinfie dell'egemonia marxista, anche se non si spiega il perché (ivi, 26).

Del resto, non è il cristianesimo che sottrae i lavoratori dell'est alla egemonia marxista, ma i frutti sempre piú inequivoci del leninismo al potere. Il cui esercizio – fin dalle origini (la repressione del soviet di Kronstadt è del 1921), e malgrado una consapevolezza che tarderà tragicamente – avviene contro gli operai, benché in loro nome. Lo avevano già pronosticato aruspici anarchici e altri lucidi visionari della sinistra senza Dio, del resto.

L'antitesi al marxismo, quale emerge almeno dalla realtà del 1989, non è dunque il cristianesimo. E del resto, enfatizzare che «il marxismo aveva promesso di sradicare il bisogno di Dio dal cuore dell'uomo» (ivi, 24), significa esprimere soprattutto una propria ossessione, poiché non è certo alla negazione di Dio che sono dedicati i principali sforzi del corpo dottrinario marxiano, che sotto questo profilo nulla aggiunge alla filosofia di Feuerbach.

Naturalmente: «L'uomo è compreso in modo piú esauriente, se viene inquadrato nella sfera della cultura attraverso il linguaggio, la storia e le posizioni che egli assume davanti agli eventi fondamentali dell'esistenza, come il nascere, l'amare, il lavorare, il morire» (*ibid.*), invece che appiattirne l'identità nella collocazione di classe. Ma questo è rilievo che infiniti miscredenti delle variegate culture laiche possono tranquillamente sottoscrivere, e hanno anzi piú volte anticipato. Come possono sottoscrivere la successiva affermazione, secondo cui «le culture delle diverse nazioni sono, in fondo, altrettanti modi di affrontare la domanda circa il senso dell'esistenza personale».

E soprattutto la conseguenza: «quando tale domanda viene eliminata, si corrompono la cultura e la vita morale delle nazioni» (*ibid.*). Ma ciò non comporta affatto l'atteggiamento implicitamente positivo che il papa presuppone «davanti al mistero piú grande: il mistero di Dio», e neppure il riconoscimento che proprio quello sia, ancora oggi, il mistero piú grande. La cultura laica ha tutto il diritto di replicare, anzi, che se il corrompimento etico e intellettuale dipende dal venir meno della *domanda* circa il senso dell'esistenza personale, è proprio e piuttosto una abrogazione della domanda quella che la dogmatica cattolica realizza con le sue risposte di preconfezionate e invulnerabili verità. La chiesa non ha mai diffuso quella domanda, ma la *risposta* (che per secoli è stata imposizione) della fede. La si chiami col suo nome di battesimo, allora, e non si scomodi il fascino della domanda esistenziale autentica.

La vera causa che porta agli effetti catalitici del 1989, dunque, non è affatto «il vuoto spirituale provocato dall'ateismo» (*ibid.*), ma un *pieno* spirituale che ha visto l'esitenzialismo dell'assurdo di Havel e la rigorosa laicità liberaldemocratica di Kis, e l'intera storia della sinistra dissidente polacca, componenti decisivi di una svolta d'epoca. Semmai, la riscoperta massiccia delle radici religiose da parte delle giovani generazione dell'est, in esplicita controtendenza con quanto evidenziato all'ovest da ogni indagine sociologica, è l'obolo paradossale che con anni di persecutorio ateismo di Stato la nomenklatura comunista ha versato alla chiesa, spingendo al cattolicesimo o ad una qualche forma di fede, come rifugio e sfida contro il regime, tantissimi uomini e donne e giovani che in condizioni di società aperta si sarebbero accontentati di libere opinioni agnostiche. È quello che sta accadendo, del resto.

Tiriamo le fila. Per Karol Wojtyła la verità del secondo ottantanove è la liberazione dai funesti errori del primo, e dalle sventure di un secolo che ne sono seguite, già denunciati da Gioacchino Pecci, ennesima e inascoltata sibilla cattolica. La rinnovata identificazione di Europa e Occidente con il cristianesimo, e una teologia autentica di liberazione integrale per il terzo mondo (rigorosamente obbediente al sant'uffizio, perciò), costituirebbero l'unica alternativa al discredito delle ideologie e il lascito empiricamente inoppugnabile, oltre che irrinunciabile, del movimento antitotalitario: la necessità che il mondo torni a Cristo.

Per Giovanni Paolo II, infatti, questo secondo '89 racconta soprattutto il sanarsi di una ferita. Il secolo si riconcilia con la Chiesa, il gregge troppo a lungo disobbediente, o ancor peggio indifferente, traviato dai falsi idoli della modernità, viene ricondotto all'abbraccio del pastore dalla perentoria evidenza degli avvenimenti stessi. I fatti, gli empirici e agnostici fatti, riportano alla fede del figliol prodigo il mondo moderno e lo illuminano a saldare l'angoscioso debito contratto con due secoli di superba e ingenerosa polemica laica. Una sorta di nemesi benedetta, insomma.

Un '89 contro l'altro. La madonna nera che si prende la rivincita sui libertini e altri enciclopedisti. Due secoli di superbia dell'autonomia individuale sotto le bandiere della *liberté, égalité, fraternité*, costretti infine a riconoscere il proprio laico fallimento, la nemesi tardiva ma definitiva del blasfemo «écrasez l'infame!» Questo avrebbero decretato le masse, nuovamente accreditata *vox dei* dopo due secoli di dolorosi ottenebramenti.

Con questo strabiliante tour de force dialettico, Karol Wojtyła si impone come l'unico geniale ideologo sopravvissuto alla morte delle grandi narrazioni.

Capitolo quarto

Mai piú guerra

> Non ho forse ripetutamente detto che vorrei che l'India diventasse libera con la violenza, piuttosto che rimanere in schiavitú?
>
> MOHANDAS K. GANDHI

Se vuoi la pace, prepara la pace. Questo il senso della drammatica invocazione che Giovanni Paolo II scaglia come ammonizione in viso ai potenti (udienza al corpo diplomatico del 12 gennaio 1990), mentre la guerra si approssima. Un appello che va oltre quella determinata contingenza. Nella sua solennità, sembra infatti riassumere le speranze delle generazioni. Nulla suona piú *moderno*, infatti, oltre che piú antico, di questo grido che da tutti esige l'impegno e il realismo dell'utopia.

Se da sempre la storia dell'uomo è vicenda delle sue ininterrotte guerre, da quasi sempre è purtuttavia anche resoconto dell'inestinto vagheggiamento di un'epoca di pace. Quanto alla modernità, essa addirittura nasce, anche ed essenzialmente, come progetto di pace. *Perpetua*, anzi. Passando dall'insegna di un oste olandese alla pagina di Kant, la macabra iscrizione satirica diventa l'irrinunciabile bandiera di quella intera epoca che è la nostra.

L'illuminismo vede nella guerra il lascito di un oscurantismo che ben presto sarà trascorso. E l'idea della necessità e della *possibilità* della pace perpetua non smetterà piú di accompagnare il secolo, anche quando l'eroismo delle armi, patriottiche o rivoluzionarie, sembrerà conquistare il monopolio di virtú per eccellenza. I macelli delle guerre moderne si svolgono infatti sotto l'esplicita clausola di essere gli ultimi, e ogni rivoluzione si immagina come *finale* realizzazione di un compito di giustizia, eventualmente lasciato interrotto dalla rivoluzione precedente. Questo registro non cambierà piú. E contiene assai piú buonafede di quanto non si sospetti.

Lungo tutta la modernità, non cessando di denunciare la durezza del cuore dell'uomo, che per egoismo di sovrani o fanatismo di popoli, in nome di una pace perpetua ormai prossima moltiplicherà intanto le inutili stragi, la chiesa può vantarsi di essere la sola istituzione in sintonia con l'aspirazione alla pace che ogni guerra, oltre a frustrare, riacutizza fra gli uomini. E tanto piú da quando fra le meraviglie belliche fa la sua comparsa l'arsenale atomico, la cui sola esistenza significa minaccia di sterminio non già per un nemico ma per l'umanità intera. L'insensatezza della guerra come strumento anche di potenza, viene evidenziata dalla impossibilità di *vincere* una guerra nucleare, al di là delle farneticazioni di Stranamore.

Ogni papa della modernità considera perciò orgoglio irrinunciabile la divisa di pastore della pace. La chiesa di Roma può addirittura presentarsi come legittimo presidio di quella aspirazione illuminista che la coscienza moderna ha saputo bensí teorizzare ma neppure approssimare. A riprova che la ragione e il progresso sono, senza Cristo e il suo vicario, il vitello d'oro di nuove idolatrie foriere di eccidio.

Il papa venuto da Cracovia non si limita però a consolidare la tradizione già costruita nella successione che da Benedetto XV, il papa della «inutile strage», arriva a Giovanni XXIII, il papa buono della *Pacem in terris*, passando per la ieratica immagine di Pio XII, *pastor angelicus* che si staglia, tremendo di consolazione e di accusa, contro le rovine del quartiere bombardato di San Lorenzo. Karol Wojtyła sottolinea infatti come novità una accentuazione introdotta da Paolo VI nella *Populorum progres-*

sio, o meglio, fa di quella novità un discrimine essenziale per caratterizzare il nostro tempo: «Lo sviluppo è il nuovo nome della pace» (SRS, p. 2119). Questa formulazione colloca il terzo mondo al centro della cura pastorale, quale privilegiato referente strategico della nuova evangelizzazione, e vale intanto da monito all'Occidente, cui rammenta che la pace non può essere fondata sull'egoismo. In questo il papa sembra addirittura riannodare, benché sul pentagramma non violento della carità, con la tradizione progressista e rivoluzionaria che ha sempre posto la giustizia *prima* della pace e a suo fondamento, se non la si vuole degradare ad alibi, o comunque a mera sospensione di ostilità («*pace* significa la fine di ogni ostilità, a cui l'aggiunta della parola *eterna* sarebbe già un pleonasmo sospetto», Immanuel Kant, *Scritti politici*, Utet, Torino 1965, p. 284).

E tuttavia. Se Giovanni Paolo II celebra il suo trionfo piú grande proprio nei giorni della guerra del Golfo – la prima, dopo la proliferazione di infinite guerre locali che segnano tanto la guerra fredda che la stagione della coesistenza, a non poter invocare la minaccia dei comunismi – imponendosi come l'unica autorità morale universalmente riconosciuta (perfino Giovanni XXIII dovrà condividere con John Kennedy e con Nikita Chruščëv, benché a qualcuno possa apparire blasfemo, l'ulivo di defensor pacis), è proprio perché sembra invertire la sequenza di Paolo VI, e proclamare: la pace nuovo nome dello sviluppo. La pace sempre e comunque, la pace a qualsiasi prezzo, la pace e niente altro.

Nei giorni della *Desert storm* Karol Wojtyła diventa perciò il *papa del pacifismo*, assai piú che il papa della pace. E proprio in virtú di ciò, mentre nessuna critica osa levarsi dalla variegata sponda interventista, si afferma quale punto di riferimento obbligato per tutto quanto si chiama ancora convenzionalmente sinistra, e unico occidentale del dialogo accreditato in partibus infidelium. Mai come questa volta la voce di Pietro è accolta come l'eco di un irrevocabile ipse dixit, come l'espressione della speranza ultima di fronte alla follia primitiva della guerra, postmoderno strumento di morte sopravvissuto alla morte delle ideologie. Erano tempi che la voce del pontefice romano non trovava accoglienza cosí universale. Cattolica, cioè. Questa apoteosi ha il suo prezzo, poiché è carica di contraddizioni. Ricapitoliamo, per cominciare, i giudizi del papa e del Vaticano sugli episodi cruciali e sulle questioni salienti della vicenda bellica.

Il Vaticano e la guerra del Golfo.

Il 25 dicembre 1990, prima della solenne benedizione natalizia Urbi et Orbi, Giovanni Paolo II si rivolge ai fedeli con una espressione che diventerà immediatamente il vessillo di ogni pacifista: «Si persuadano i responsabili che la guerra è avventura senza ritorno!» Ma chi sono questi responsabili? I grandi della terra, ovviamente, gli uomini di governo di entrambi gli schieramenti. L'imparzialità come pegno di credibilità. Pure, l'imparzialità non può essere quella di Pilato, soprattutto nella nuova Gerusalemme dei papi. Wojtyła fa dunque immediato riferimento a quella che evidentemente ritiene la causa prima di ogni conflitto in un mondo che, con il crollo del muro di Berlino, ha visto scomparire la minaccia di un confronto fra Occidente e potenze comuniste: «Invoco, anche ora, una piú equa ripartizione delle risorse della terra, un nuovo e piú giusto ordine etico ed economico mondiale. Solo una cooperazione effettiva e rispettosa fra i paesi ricchi e i popoli emergenti può impedire che il divario fra il

Nord e il Sud divenga abisso crescente che allarghi il già
vasto e inquietante arcipelago della miseria e della morte». Ineccepibile.

Pronunciata nel contesto della guerra che approssima,
e quale sua spiegazione, la *generica* richiesta di giustizia
sociale su scala mondiale diventa però *puntuale* indicazione di chi sia il responsabile del conflitto incombente.
L'avventura senza ritorno, che ad ogni costo va evitata, è
la blasfema crociata dei ricchi contro i poveri, del Nord
contro il Sud del mondo. Tutti coloro che parleranno di
una guerra per il petrolio e che la condanneranno al grido
«no blood for oil» troveranno nelle parole del pontefice
un autorevole e anticipato avvallo.

Peccato che manchi, nel discorso di Wojtyła, un accenno alle radici autentiche della guerra: alla circostanza che
essa è in realtà già in atto da parecchi mesi, poiché iniziata
il 2 agosto 1990 con l'invasione irachena del Kuwait, e che
dunque esprime la volontà egemonica di Saddam Hussein sull'intera zona (altro che ricchi contro poveri), tesa
ad imporre un imperialismo regionale il cui esito niente
affatto occulto, fra i piú generali obiettivi panarabi, è
quello di rimettere in discussione la sicurezza e l'esistenza
stessa dello Stato di Israele, definito spesso come «entità
sionista».

Sconcertante, ma anche illuminante e coerente, risulterà perciò lo stile del richiamo papale alla questione palestinese. Il 12 gennaio 1991, nella tradizionale udienza di
inizio anno al corpo diplomatico presso la Santa Sede, Karol Wojtyła ricorda che «da decenni il popolo palestinese
è gravemente provato e trattato ingiustamente... Si tratta
di un popolo che chiede di essere ascoltato, anche se si deve riconoscere che certi gruppi palestinesi hanno scelto,
per farsi ascoltare, metodi inaccettabili e condannabili».
Qualcuno, pensando ad Abu Nidal, Abu Abbas e altri

professionisti del terrorismo, potrebbe giudicare queste espressioni un trattamento con i guanti bianchi. E non a torto. Il linguaggio del papa è del resto rivelatore di uno stato d'animo inequivocabilmente unilaterale, quando si tratti del problema arabo-israeliano.

Ad esempio. Nel corso del conflitto, il Pontefice si limiterà ad esprimere «solidarietà per quanti, nello Stato di Israele, soffrono per i deprecabili bombardamenti dei giorni scorsi», aggiungendo identica solidarietà per la popolazione irachena. Il che suona ineccepibile sotto il profilo dell'umana pietà, ma rimuove una circostanza politica decisiva: che l'Iraq ha scatenato la guerra mentre Israele in guerra non è neppure entrato e non ha risposto, come pure sarebbe stato suo diritto, ai bombardamenti iracheni contro la popolazione civile.

Teniamo a mente una circostanza. Nell'azione della diplomazia vaticana le sfumature del linguaggio costituiscono, da sempre, uno strumento essenziale. Non sono mai semplice forma, bensí rilevante contenuto. Il tono anonimo, privo di pathos, con il quale si parla di Israele, della sua sicurezza minacciata, delle sue sofferenze sotto gli scud, rafforza perciò l'impressione che anche il mancato riconoscimento dello Stato ebraico non sia il residuo di una politica antiisraeliana ormai di fatto superata con il venir meno dell'accusa di deicidio, ma anzi confermi una scelta di campo filo araba che rende assai poco credibile ogni sforzo del papa di presentarsi come imparziale nelle dispute sulla Terrasanta. Logico che gli ebrei, di Israele come della diaspora, divengano allora ipersensibili alle sfumature, perché forse tali non sono. Si pensi alla gaffe del cardinal Ruini, vicario di Wojtyła per la diocesi di Roma, che il giorno di Pasqua dell'anno di grazia millenovecentonovantadue, rinnoverà l'accusa di deicidio: «Il Dio che Gesú manifestava era troppo diverso dal Dio degli ebrei: di qui la loro decisione di sopprimere Gesú». E non si dica che sono equivoci e sottigliezze di una disputa storica. In fatto di storicità su Cristo e i vangeli non sono certo le porpore della curia ad avere qualcosa da insegnare. Qui ogni parola è simbolo. Ed eventualmente politica. Come ha ricordato Levinas, «piú volte la Chiesa ha avuto la tentazione di sopprimere gli ebrei a causa di questa contestazione, piú volte ha usato le frasi antisemite del cardinal Ruini» («La Stampa», 6 maggio 1992).

Equidistante invece, ma di una pessima e fuorviante equidistanza, è la politica vaticana nel conflitto che oppone Saddam a Bush. «La civiltà cattolica» del 2 febbraio 1991 è infatti assai esplicita nel ricostruire le ragioni del conflitto: sarebbe mancata, *da ambedue le parti*, la volontà di giungere a una composizione pacifica. Ma mentre la mancata volontà da parte irachena esprimerebbe la protesta contro la storica ingiustizia perpetrata dal colonialismo inglese con la creazione artificiosa del Kuwait (il cui scopo sarebbe stato di precludere all'Iraq uno sbocco al mare), e avrebbe dunque una sua giustificazione geopolitica e storica che solo le angustie della mentalità giuridico-legalitaria dell'Occidente avrebbe difficoltà a comprendere, ben piú grave sarebbe la mancata volontà degli alleati.

Qui si tratterebbe di vera e propria malafede, poiché la liberazione del Kuwait «probabilmente non costituiva l'unico obiettivo dell'intervento nella regione». Il che, sia detto per inciso, sarà purtroppo smentito dai fatti, quando gli alleati rinunceranno a rovesciare il tiranno di Bagdad. Comunque: alla rivista dei padri gesuiti è ben nota l'ipotesi (riccamente suffragata!) «che il vero ostacolo alla pace e alla stabilità del Medio Oriente fosse Saddam Hussein e il suo regime, sia perché si preparava ad aggredire Israele, sia perché mirava a impadronirsi di altri Stati del Golfo (Arabia Saudita ed Emirati): l'invasione del Kuweit poteva essere il primo passo verso la conquista di altri Stati». Tuttavia «La civiltà cattolica» respinge questa lucida diagnosi quasi fosse uno specchietto per allodole. E invece: proprio perché questi erano i termini del problema e le cause del conflitto, la liberazione del Kuweit e la distruzione della potenza bellica di Saddam rappresentavano due facce di una medesima necessità politica, poiché il despota di Bagdad costituiva una minaccia non già e non solo per il Kuweit, ma ormai anche per l'Arabia Saudita e per *tutti* i regimi arabi non disponibili alla logica della guerra santa. E dunque anche per la sopravvivenza di Israele, *direttamente e immediatamente*.

Risibile diventa perciò la tesi, e mossa da un evidente pregiudizio favorevole al rais di Bagdad, che per evitare il confronto armato probabilmente sarebbe bastato rinunciare ad «umiliare» Saddam con un ultimatum e promettere, invece, la convocazione di una conferenza sui problemi del Medio Oriente. Nel frattempo Saddam si sarebbe rafforzato, procedendo anche nella non lontana costruzione dell'atomica. Prospettiva di devastante raccapriccio.

Le colpe dell'Occidente.

Sia chiaro. Le colpe dell'Occidente per la guerra del Golfo riempiono parecchie bisacce, ma non sono quelle indicate dalla rivista dei gesuiti. Forse sono anche piú gravi. La guerra è stata anche l'esito di una lunga serie di errori e di ingiustizie che i governi occidentali hanno commesso in un arco di decenni, e senza i quali sotto questo profilo era dunque probabilmente evitabile. Elenchiamo.

L'Occidente ha mancato quando non ha saputo vincolare Israele a favorire con una adeguata e tempestiva politica di pace e di concessioni il leader egiziano moderato Sadat. L'Occidente ha mancato quando non ha colto tutte le occasioni di sostegno alle forze di ispirazione democratica, pur minoritarie nell'universo arabo, lasciando libero campo ad una monopolistica dialettica tra dispotismi, marxismi e fondamentalismi. L'Occidente ha mancato quando ha privilegiato le ragioni del profitto su quelle della democrazia, arricchendo gli arsenali militari oggi di un despota e domani di un altro, nell'illusione di giocarli l'uno contro l'altro e di controllarli a piacimento. E di nuovo ha mancato quando ha consentito che l'embargo fosse ridotto a un colabrodo dalla rapacità di troppe ditte occidentali e dall'allegra tolleranza dei rispettivi governi. Ma tutto questo esige, come conseguenza, una condotta futura ispirata a maggior rigore democratico, non certo a minore intransigenza verso i despotismi arabi.

L'Occidente ha mancato, infine, ogni qualvolta ha sottoscritto all'Onu la denuncia di avvenute violazioni del diritto internazionale, ma ha preferito poi costringere le sanzioni che ne conseguivano nel limbo delle reticenze. Due pesi e due misure, insomma. In altri termini. Moralmente i governi occidentali non possono essere assolti, poiché hanno contribuito a rendere inevitabile una guerra che altrimenti avrebbe potuto essere tenuta a distanza. Ma politicamente, giunti ai giorni cruciali, rinunciare ancora ad una guerra, della quale pure si era indirettamente corresponsabili (e che tuttavia Saddam ha scatenato), avrebbe significato solo *procrastinare* la guerra stessa e decretare, a breve termine, la scomparsa di Israele. Questi i termini ineludibili del dilemma.

Non si dica, però, che riconoscendo *questa* decisiva ragione in favore dell'intervento, si assumono e sostengono le ragioni di ogni decisione politica dei potenti di Occidente. Che è l'accusa di tanta parte del pacifismo contro i democratici che si erano convinti, *hic stantibus rebus*, della urgenza di *Desert storm*. L'equivoco, non sempre disinteressato, nasce dall'infondata idea che l'Occidente sia un sistema compatto, e non già un campo di conflitti. Sarà bene essere chiari, allora. Non è esistito alcun *fronte* interventista, e tanto meno una cultura laica e democratica del guerrafondismo. Si sono date, invece, motivazioni e finalità assai diverse, che hanno finito per convergere nel dire sí a *una* decisione di Bush. Che si trattasse di ragioni niente affatto omogenee lo si è visto rapidamente, del resto.

E infatti. La liberazione del Kuweit andava intesa nel senso del diritto di quello Stato alla sovranità, o anche del diritto dei suoi cittadini alla democrazia? Due opzioni assai lontane, che Bush ha cercato di contrabbandare come equivalenti. Ma proprio chi non confonde i *federalist papers* con i sultani del caravanserraglio (e gli uomini senza diritto di voto, e le donne anche senza diritto di viso), ha cercato nella guerra contro Saddam l'occasione per esigere dagli emiri anche il prezzo dei diritti civili, oltre che i vantaggi di petrolio e alleanze.

Questa stessa politica, che non è stata seguita, ma che era l'unica davvero coerente, sotto il profilo occidentale, imponeva inoltre di prolungare di qualche giorno l'offensiva, portando la tempesta dal deserto a Bagdad, e facendola finita con il truce regime di Saddam. Furono le ipocrisie diplomatiche di una tardiva strenna coesistenziale a Gorbačëv, che aveva Ligačëv e i marescialli brezneviani contrari alla guerra, a bloccare Schwarzkopf sulla via di Bagdad, non dimentichiamolo. E di conseguenza a risvegliare, immediatamente dopo, la ferita lancinante del dramma curdo. Poteva essere una occasione per cominciare a sanarlo. Ma l'Occidente della realpolitik continua ad avere il complesso del «protettorato».

Viene cosí in luce uno dei dilemmi cruciali del nostro tempo: il potenziale conflitto fra un principio di diritto internazionale, la sovranità intangibile degli Stati, e la politica dei diritti umani, che oggi non a torto fa premio su ogni altra presso i democratici dell'est e dell'ovest. Non si dovrebbe infatti dimenticare, benché Marx sia ritenuto non piú citabile, che uno Stato può essere libero senza che liberi siano i suoi cittadini. Cosa scegliere, quando le due istanze si oppongono insanabili? Accetteremo di veder trucidare intere popolazioni, per non interferire? O ci arroghiamo il diritto di *imporre* il rispetto dei diritti umani a governi criminali? E fino a qual punto? Se in fatto di diritti umani valgono, come sarebbe opportuno, i criteri di Amnesty International, dovremmo mandare teste di cuoio, parà e altri marines contro ogni governatore amico di sedie elettriche e camere a gas.

Questi acuti dilemmi, d'altro canto, non possono condurre a restaurare tale e quale il feticcio idolatrico della sovranità. Il genocidio cambogiano compiuto dai kmeri rossi di Pol Pot aveva già posto all'ordine del giorno l'elaborazione di un nuovo capitolo del diritto internazionale: il *diritto di ingerenza*. Inevitabile prolungamento dei diritti umani, se non vogliamo che essi restino l'anestetico della buona coscienza e il pendant giuridico del massacro neutralizzato in quanto spettacolo.

Sotto questo profilo va però liquidata come farneticazione la pretesa che suprema garanzia possa essere una riforma «democratica» dell'Onu. Con la quale si intende l'abrogazione del diritto di veto e il riconoscimento rigoroso di un eguale peso per ogni Stato. Democrazia del tutto fittizia, poiché non realizza l'ideale di «un uomo, un voto», bensí spaccia come tale la odiosa realtà di «un tiranno, un voto», che pervade il palazzo di vetro.

E allora. Poiché una repubblica federativa democratica

mondiale non si intravvede ancora all'orizzonte, e poiché la «democrazia» dell'Onu sarebbe quella dei dittatori (almeno fino a che le vituperate libertà «occidentali» non saranno la normalità del Sud del mondo), il diritto di ingerenza sembra impossibile da formalizzare in procedure internazionali standard che autorizzino alla decisione soggetti politici giuridicamente individuati. Piaccia o meno, ogni intervento non potrà che nascere da assunzioni dirette di responsabilità. E relativo giudizio (e impegno, e lotta, pro o contro) di ciascuno. Questa assunzione diretta di responsabilità spaventa, come è ovvio. I singoli individui e i singoli governi. Ma cos'altro fecero i democratici piú coraggiosi, da ogni parte del mondo, se non *intervenire* in Spagna?

Che senso ha, d'altro canto, deplorare le stragi che da Dubrovnik a Sarajevo insanguinano oggi quella regione d'Europa fino a ieri chiamata Jugoslavia, se il tabú della sovranità degli Stati, sempre e comunque, garantisce ai poteri di fatto il tranquillo godimento del prezzo della barbarie? Se il feticcio della sovranità degli Stati (la Jugoslavia ormai in decomposizione, nella fattispecie), non avesse paralizzato la comunità europea (e piú in generale internazionale) quando Slovenia e Croazia chiedevano il riconoscimento della loro esistenza, ci sono fondati motivi per ritenere che oggi nell'ex dominio del maresciallo Tito non si moltiplicherebbero le vedove e gli orfani. Una coltivata incapacità di intervento ci rende perciò complici della bassa macelleria che in nome della grande Serbia sta devastando la ex Jugoslavia. L'idolo della sovranità è stato usato come amuleto per rendere invisibili le colpe e le viltà dell'Europa.

Sia chiaro, nessuna indulgenza verso chi intende riproporre la disgustosa retorica delle virtú guerriere. Se c'è un privilegio da curare, coltivare, custodire con gelosia di sultano, è quello assolutamente *inaudito* toccato in sorte alla nostra generazione in alcuni frammenti di Europa: essere cresciuti senza che il fantasma di una guerra ipotecasse come esperienza probabile, e anzi neppure condizionasse come esperienza possibile, i fondali dei circuiti psichici. Non era mai accaduto prima, nei millenni di avventura dell'homo sapiens. E si tratta di operare perché accada di nuovo e di piú. Perché cessi di essere privilegio. Ma resta privilegio, e *illusorio* anzi, proprio se lo si vuole esercitare cullandosi nell'egoismo che abbandona gli «altri» ai loro scannatoi di guerra (sempre piú vicini, oltretutto), mentre «noi» addobbiamo il salotto buono della nostra indifferenza con i festoni ipocritamente nobili della non interferenza nella sovranità altrui.

Le ragioni del pacifismo.

Riprendiamo il filo. Le tesi particolari del papa sulla guerra del Golfo, contestabili per un certo pregiudizio antioccidentale che vi circola, si iscrivono nell'orizzonte di una tesi generale: «Le esigenze di umanità ci chiedono oggi di andare risolutamente verso l'assoluta proscrizione della guerra e di coltivare la pace come bene supremo, al quale tutti i programmi e tutte le strategie devono essere subordinati» (udienza al corpo diplomatico del 12 gennaio 1991). La pace bene supremo e valore assoluto. Questo il punto. Tranne che in una occasione (il 17 febbraio, quando sottolinea il comune primato di pace *e giustizia*), questa sarà la posizione del papa. E in questo *fondamentalismo* pacifista risiede la ragione del diffondersi delle sue tesi come nuova e vincente ideologia (soprattutto nella sinistra). La pace diviene infatti, nella versione di Giovanni Paolo II, la cornice generale e riassuntiva di una intera gerarchia di valori, la sintesi di riferimento che ordina e fornisce senso alle decisioni dei popoli e alle scelte degli individui, il culmine di un ordinamento assiologico che può garantire risposta alla disperazione morale prodotta dalla crisi della modernità.

Non sono poche, le ragioni del pacifismo. E per cominciare. Suona lugubre che ancora si almanacchi intorno alle teorie di una *guerra giusta*. In proposito, tutti i virtuosismi del tombolo dialettico potrebbero essere vantaggiosamente abbandonati in donazione al museo dell'epoca dei sovrani o delle metafisiche «Verità» über alles. «Giuste», in senso stringente, possono pretendere di esserlo solo le crociate, quale che ne sia la bandiera. Il resto è legittima difesa, eventualmente.

In secondo luogo. Il lessico degli stati maggiori, con la sua ipocrisia disonorante, denuncia da solo la disumanità della guerra, poiché dietro asettiche o accattivanti locuzioni tecniche occulta l'orrore infinitamente replicato di una concreta esistenza smembrata. Dello strazio a morte di quell'*unicum* di memorie, attese, progetti, che ciascuno è. Una vita irrisarcibile annientata, piú un'altra, piú un'altra, in un rosario interminabile di individui irripetibili, con il cui azzeramento scompare ogni volta l'intero mondo. In terzo luogo, l'eccitazione apologetica che traspare dietro il trombonismo di una sobrietà bellicistica eccessivamente esibita, tradisce il ritorno fra gli intellettuali delle superstiziose vergogne hegeliane che deducono razionalità dal fatto compiuto.

A una guerra non si può mai consentire con entusiasmo, per quanto la si ritenga necessaria, e una vittoria non può essere applaudita con schiamazzi trionfalistici, per quanto la si giudichi positiva, se un democratico non vuole precipitare nei miasmi di glossolalie bellicistiche e altri virilistici furori. Se si giudica necessario dire di sí ad un in-

tervento armato, tanto piú diventa indispensabile che non
si ceda alla fascinazione delle baionette e dei missili «intelligenti». E si faccia attenzione: non si tratta di irrilevanti dettagli emotivi, privi di risvolti pragmatici, o di sedativi
morali contro i sensi di colpa per una decisione tormentata. La tonalità emotiva con cui si assume l'intervento bellico, infatti, condiziona modalità e argomenti con cui si cercherà il consenso popolare, e di conseguenza anche gli
obiettivi politici affidati alla guerra e il loro conseguimento dopo l'armistizio. Quella che, sotto il profilo tecnico, è
una *stessa* guerra, diventa una guerra radicalmente *diversa*, sotto ogni altro e qualificante profilo, se affrontata con
l'impudicizia del tripudio invece che con la perplessità
del dolore.

A nessuno è concesso illudersi, infine, che la guerra
possa essere uno strumento per *risolvere* problemi, dirimere controversie, concludere conflitti. Le armi possono
talvolta impedire il tracimare in peggio di una situazione,
e circoscrivere il dilagare di una tragedia. Nulla di piú.

Proprio per questo tuttavia, il pacifismo che intende
bandire sempre e comunque – in modo *incondizionato* –
l'uso delle armi («l'assoluta proscrizione della guerra»
teorizzata da Karol Wojtyła, abbiamo visto), rischia di essere una fucina di alibi anche contro la legittima difesa o
l'improcrastinabilità del meno peggio. E la dismisura dell'apocalisse nucleare, che da quasi mezzo secolo vale quale conclusivo argomento in favore della proscrizione assoluta della guerra, perde il suo carattere stringente con il
dissolversi di un orizzonte geopolitico dominato dal conflitto delle due superpotenze. Il monito atomico deve ormai essere riformulato, e il suo primo comandamento recita: impedire, senza riguardi e prima che sia troppo tardi,
il fiorire di nuove potenze nucleari, tanto piú se «piccole», perché piú probabilmente irresponsabili. Il deterren-

te che ha funzionato da remora attraverso l'azzardo di un bipolaristico equilibrio del terrore, si muterebbe in stocastico approssimarsi di catastrofe, che neppure il piú spericolato dei bookmaker sarebbe disposto a quotare, se prendesse abbrivio la «democratizzazione» del possesso nucleare. Una politica di ingerenza, fino alle armi, può diventare necessaria e *doverosa*, dunque, per impedire questo proliferare atomico che è tumorale per la pace.

Non si scampa, perciò. Il pacifismo non può continuare a distrarre gli occhi dalla inquietante medusa di questa evidenza: la pace *comunque*, se intesa come impegnativo programma e non come chiacchiera retorica, conduce ad accettare anche la *prepotenza* comunque. E cade opportuno rammentare che la legittimità delle attuali democrazie, o il loro consolidamento, si fonda o si rinnova sulla *Grundnorm* della vittoriosa guerra antifascista, senza la quale la geometrica potenza del Reich millenario e il mistico fanatismo del banzai nippon, garrirebbero forse oggi con le loro svastiche di dominio su interi continenti asserviti.

Lo spirito di Monaco e i vizi del pacifismo.

Hanno fatto un deserto e lo hanno chiamato pace. A questa sempre incombente virtualità bisogna essere attrezzati a replicare. Anche armi alla mano. Proviamo, invece, a compitare la bandiera del pacifismo secondo le sue non fugabili conseguenze: «volere anche le ingiustizie che il non opporsi trascina con sé». Suona meno armonico che salmodiare «mai piú guerra», ma è il messaggio di rassegnazione edificante che può essere sempre racchiuso dentro il cioccolatino pacifista. E invece: lo spirito di Monaco, comunque aggiornato e agghindato, non deve trovare domicilio presso la lucidità democratica.

Quando si approva per necessità una guerra, è facile ritrovarsi in compagnie sgradevoli e anche indecenti, dai fanatici del «bel gesto» ai cinici dell'affarismo senza scrupoli. E i pacifisti hanno buon gioco nel sottolinearlo. Pure, l'antico detto deve valere anche nella sua forma rovesciato: *inimicus Plato (Miles!), sed magis amica veritas*. Se si è convinti che, per evitare il peggio, il doloroso tragitto dell'intervento armato non possa essere rinviato, non si possono paralizzare o rettificare le proprie sofferte decisioni a causa di un circolante lezzo bellicista che offende il proprio senso estetico. Sarebbe narcisismo irresponsabile. Le retoriche maleodoranti e le speculazioni vampiresche andranno combattute senza respiro, ma rinunciare a un conflitto che si ritiene non rinviabile significherebbe esattamente diventare subalterni ad esse.

In conclusione. È del tutto sostenibile la tesi che il pacifismo non sia riuscito a servire, in occasione della guerra del Golfo, né la causa della pace né quella della giustizia, ed abbia perfino aggravato la situazione confondendo, con l'evidente buona fede delle sue migliori intenzioni, i termini della posta in gioco. Al punto che, rispetto al caso Israele, proprio il pregiudizio ideologico diventa invece crogiolo di impressionante malafede. L'indigenza di solidarietà verso un paese fatto bersaglio di missili e recluso in casa per la minaccia di una aggressione chimica, e la malcelata approvazione per il derviscio dimenarsi dei palestinesi ad ogni piombare di scud, ha stracciato la credibilità di larga parte del mondo pacifista. Perché si tratta di aberrazioni sistematizzate e teorizzate.

La rinuncia al detestato paradigma eurocentrico implicherebbe, ad esempio, che nel giudicare un comportamento, si assuma il «vissuto» di chi lo compie quale criterio di valutazione. In tal modo, tuttavia, non si può piú giudicare nulla. È ben vero che non è dato scoprire un criterio morale oggettivo, iscritto nel maiuscolo dell'Essere o nel cuore minuscolo degli umani mortali, ma tanto meno questa introvabile norma etica universale può essere identificata con il «vissuto» di chicchessia. Poiché in tal modo si azzera ogni comportamento nelle sabbie mobili della onnilaterale giustificazione. Il «vissuto» di frustrazione dei palestinesi giustifica il loro entusiasmo per Saddam, e il «vissuto» di Saddam contro l'oppressione occidentale giustifica le sue pulsioni subimperialistiche da *jihad*, ma esclusivamente nello stesso senso in cui il «vissuto» di un ex imbianchino tedesco, ossessionato dalla infezione giudaica e dalla congiura pluto-democratica, pretende di servire da fondamento alla paranoia genocida di un «necessario» e «naturale» dominio della razza ariana superiore. A questo finisce per mettere capo la teoria della sovranità del «vissuto» tanto cara agli anti etnocentristi.

Del resto, il pacifismo non è sceso in piazza neppure nei giorni del massacro dei curdi, quando un Saddam sopravvissuto e piú che mai arrogante, ha utilizzato i feroci battaglioni della sua guardia presidenziale, lasciati intatti dalla rinuncia americana a marciare su Bagdad, per nuove stragi a sfondo etnico e politico. Questa eclisse del pacifismo di massa non è sicuramente imputabile a indifferenza per quel popolo martoriato, e neppure è sospettabile che la morte e la sofferenza di un curdo siano «vissute» dal pacifista come morte e sofferenza «minori» di quelle di un palestinese. Ma il risultato non cambia. Per i curdi niente indignazione di massa. La persecuzione contro di loro non offriva infatti il destro per un pacifismo *antioccidentale*. Il segreto è tutto qui. Tocchiamo con ciò l'essenziale *punctum dolens*, che il pacifismo sdegnosamente rifiuta perfino di considerare, ma che pure lavora in modo potente, e neppure sotterraneo.

Fuori dai denti: il pacifismo è mosso in primo luogo da amore per la pace o da odio per l'Occidente (quell'amalgama di eterogenei che il pacifismo chiama Occidente)?

Inutile negare la forza di questo secondo movente. Lo stesso pregiudizio antiisraeliano si spiega solo in base ad una duplice (benché infondata) identificazione: quella che, in spregio a tutte le vicende storiche e al carattere ancora fortemente egualitario del paese che fu dei *kibbutzim*, nel realizzato sogno di Hertz sa leggere solo un avamposto dello sfruttamento neocoloniale, e l'altra leggenda che narra i palestinesi come gli ebrei della nostra fine di secolo, benché le prime tracce di una loro rivendicata identità nazionale datino solo a qualche anno fa.

Dal punto di vista analitico è perciò doveroso il sospetto che il pacifismo sia la nuova epitome che riassume, sotto più seducente peplo, trascorse ostilità contro l'Occidente ormai improponibili nella veste canonica, e conseguenti fuoriuscite. Ma soprattutto, il pacifismo costituisce il surrogato dell'impegno per trasformare l'esistente, quando esso fallisce in conseguenza di una critica dell'Occidente sacrosanta ma fuori bersaglio. Il pacifismo diventa insomma un risarcimento morale a buon mercato che consente di occultare a se stessi il proprio fallimento riformatore, e di addomesticare il senso di colpa per l'impotenza dimostrata nel combattere i lati oscuri dell'Occidente.

La santa rabbia che gonfia quando non possiamo impedire che quattro poliziotti bianchi inequivocabilmente colpevoli sfuggano alla condanna, e un nero mentalmente handicappato sfugga alla sedia elettrica, e i ladri di partito diano arroganti lezioni di moralità, e gli insabbiatori di Stato insolentiscano chi vuole saperi i nomi di Ustica, e i padroni del potere riescano magari a infilare nella tasca dei loro critici la bustina di eroina di una presunta evasione o di uno scandalo sessuale, questa insopportabile frustrazione viene esorcizzata ergendosi a vindici di impresentabili despoti del terzo mondo, e condannando comunque una guerra contro ignobili persecutori dei loro popoli, visto che a dichiararla sono gli stessi rivoltanti establishment occidentali contro cui si è spuntata l'arma della critica e della opposizione civile. Con il risultato pateticamente paradossale che proprio la nostra condanna per una azione bellica tragicamente argomentabile, finisce per gettare il discredito anche sulla nostra ineccepibile critica al pane quotidiano delle loro malefatte.

Surrogato consolatorio il pacifismo, allora. Che con tutta la sua buonafede, trasforma la generosità in rassegnazione, poiché scarica l'indignazione su oggetti vicari, generalissimi e inafferrabili, rendendola innocua e tranquillizzando il potere.

Tiriamo le somme. La guerra del Golfo ha funzionato da cartina di tornasole. La colpa dell'Occidente si chiama *incoerenza* rispetto ai valori che ogni sua costituzione proclama, e la fedeltà ai quali avrebbe forse perfino reso il conflitto evitabile. Incoerenza per una politica internazionale che troppo spesso ha usato due pesi e due misure, e per una politica degli armamenti che, in vista del profitto, ha arricchito gli arsenali di regimi non democratici. Si riconferma questo, allora, il vero spartiacque fra sinistra e destra: il realismo dei principî liberaldemocratici presi sul serio, oppure la irresponsabilità di una politica di opportunismo, di potenza, di ipocrisia.

Questa guerra rivela infine un'ultima scomoda verità. Mette a nudo che il pluridecennale conflitto fra ovest ed est non è stato sostituito, secondo l'ormai obbligatorio luogo comune, da una generica contrapposizione fra nord e sud, fra paesi ricchi e paesi poveri. Sullo sfondo di tale contrasto (certamente difficilissimo da avviare a soluzione, e impossibile senza un preliminare tracollo dei termini di natalità) si delinea il ben piú ostico antagonismo fra Occidente e Islam. Piú ostico perché per il momento, e almeno sotto un profilo rilevante, probabilmente insanabile.

Accenniamo a questo tema, benché non lo si possa qui approfondire, poiché si tratta di un tema quasi sistematicamente *rimosso* (proprio in senso freudiano) dato il suo carattere scomodo.

Il dialogo con l'altro

Il pacifismo di Karol Wojtyła sembra affatturare non pochi laici, perché l'aggressività con cui ribadisce come irrinunciabile ed attuale l'equivalenza fra Europa e cristianità, viene immediatamente piegata alle ragioni di un improcrastinabile dialogo con l'Altro, profetica e ineludibile chiave di volta se si intende progettare una Europa credibile per il terzo millennio che si approssima. E l'Altro si presenta oggi soprattutto con il volto del fedele di Allah. L'ecumenismo della chiesa romana compirebbe con ciò un decisivo allargamento di orizzonte: non piú interconfessionale, attento innanzittutto alle vicende della diaspora cristiana, ma interreligioso, interessato sempre piú alle divergenti tradizioni che testimoniano la rivelazione di un Dio unico. L'ecumenismo per questa via acquisterebbe addirittura un respiro interculturale.

Ma cosa sottindende ed esige la natura dell'Altro perché vi possa essere dialogo? Circolano in proposito *qui pro quo* sconcertanti. È una candida illusione, infatti, che l'Altro comunque inteso, l'Altro senza specificazioni e aggettivi, possa essere davvero il protagonista di un dialogo. Di un confronto certamente sí, poiché tale è anche il duello all'ultimo sangue. Ma *dialogo*, anche nella sua accezione meno impegnativa e quale mera possibilità, implica almeno la reciproca decisione per una ostilità «civilizzata», per una dimensione e fisionomia del conflitto che lo «neutralizzi» in regole, al punto che persino la guerra figuri a suo modo come momento di un «dialogo» (la prosecuzione della politica con altri mezzi), e non come vettore di un inestinguibile imperialismo di annessioni. E qui stiamo parlando, invece, di un dialogo nel senso forte ed estremo del termine, che *escluda* tassativamente la guerra.

Questo Altro di cui si discute non può dunque porsi come un Nemico, come ostilità irriducibile. Il cristianesimo rigoroso chiede a ciascuno di amare il suo nemico, l'estraneo che suscita offesa, repulsione, aggressività. E al quale devi porgere l'altra guancia, e usare la spada per offrire la metà del mantello. «Ama il tuo prossimo» implica questo, se non vuole svilirsi a caramelloso sentimentalismo verso una generica umanità. Ma amare davvero l'*hostis* è possibile solo in balía di una pura pulsione di morte, di un gorgo di autodistruzione. Perché vi possa essere un Altro con cui dialogare, si tratta di fare in modo che, almeno in senso definitivo, non esistano piú nemici, e cioè che l'identità di ciascuno integri la tolleranza fra i propri tratti somatici inestirpabili. Perché vi sia diversità e non oltranzismo di ostilità, è presupposto fondativo che almeno questa scelta renda omologhi. Il che implica un arricchimento che è anche *indebolimento*, consapevole o meno, della propria identità, poiché si rinuncia di imporre ad altri il proprio codice di comportamento.

Almeno. In realtà la volontà di dialogo e perfino il linguaggio del dialogo contengono assai di piú. Chi è infatti questo Altro da rispettare, con cui dialogare, da *ri-cono-*

scere, cioè conoscere una seconda volta in un inedito e impegnativo senso, come il niente-altro-che-tu che anche io sono per lui, inevitabilmente ormai ed essenzialmente? Una cultura come entità compatta, che incatena i singoli alla sua identità, o quei singoli stessi? Se ci si incammina sulla strada del riconoscimento dell'Altro non è dato arrestarsi a metà cammino. Se decido di assumere come valore la differenza di un gruppo, non posso accettare che lo stesso trattamento sia negato a un secondo e piú ristretto gruppo all'interno del primo, fino a giungere al «gruppo» non ulteriormente frazionabile, il singolo di ogni esistenza afferrabile. Il riconoscimento dell'Altro è il riconoscimento della differenza di ogni *individuo*, o dilegua e dileggia in menzogna.

Ma allora. Questo *monstrum* contro natura che è l'arricchimento/indebolimento della propria identità, realizzata integrandovi il valore dell'irriducibile diversità di *ciascuno*, è un *accaduto*. Si chiama ragione critica del disincanto, frammento incompiuto oltre che improbabile della storia umana, venuto un giorno alla luce in un fazzoletto di globo chiamato per ventura Tramonto.

Il segreto della sua superiorità si chiama secolarizzazione. Esattamente di *superiorità* bisogna infatti avere il coraggio di parlare in questo contesto, proprio a partire da quel valore messo in campo dagli entusiasti (soprattutto laici) di papa Wojtyła e della sua identificazione di Europa con cristianità, in polemica con la ottusità dell'orgoglio occidentale di matrice illuminista: la capacità di dialogo, l'apertura verso l'Altro. Perché delle due l'una. O il riconoscimento della differenza, della relatività ontologica delle culture, della loro conseguente eguale dignità, è una *positiva* acquisizione, una conquista e un valore, o non lo è. Ma se lo è, questo valore è rinvenibile come caratteristico solo nella cultura occidentale (in *una* sua tradizione, ovviamente), che segnala, in questa capacità di mettersi in discussione, di relativizzarsi, di progettarsi come società indefinitamente aperta, la sua superiorità. Se non lo è, non si vede allora in cosa sarebbe criticabile l'Occidente in qualsiasi sua pretesa di superiorità, visto che questo sarebbe l'unico modo in cui tutte le culture senza eccezioni continuerebbero a leggere se stesse.

La secolarizzazione della fede è il presupposto di ogni dialogo. La convinzione contraria è sogno, perché sonno della ragione. Lasciamo allora impregiudicato se la religione islamica conosca per sua intima costituzione ostacoli maggiori di quella cristiana nel procedere in questa direzione. E non pronunciamoci sulle possibilità future e sui tragitti eventuali. Di tutto ciò solo una introvabile provvidenza può fornire i pronostici. Limitiamoci a prendere atto che nel mondo arabo il processo di modernizzazione e quello di secolarizzazione sono fin qui falliti.

Sul piano economico, il liberalismo non c'è mai stato, poiché non ha significato l'introduzione del mercato con le sue regole e *regolamentazioni*, e dunque i suoi vantaggi in termini di innovazione, ma il disfrenarsi di un micidiale e perverso intreccio tra corruzione e profitto, all'ombra di prepotenze politiche di stampo feudale o di etichetta socialista, che hanno garantito sia l'accumularsi di fortune sfacciate che la dissipazione di risorse gigantesche. Sul piano civile, la «occidentalizzazione» (si pensi al caso emblematico dell'Iran di Reza Palevi) ha bensí introdotto elementi di liberazione per le donne e nei costumi, e ha consentito per ampie élite una istruzione anche di alto livello (compresi i corsi di studio presso le migliori università straniere), ma si è poi svolta all'ombra della Savak e delle sue torture, amputando l'occidentalizzazione proprio del suo lato democratico liberale. Lo sviluppo economico, soprattutto con l'afflusso dei petrodollari successivi alla crisi del '73, ha poi significato per larghe masse arabe un convulso inurbamento in periferie degradate a giganteche bidonville prive dei piú elementari servizi. Per le nuove generazioni, che non hanno vissuto di persona l'epopea delle liberazioni nazionali, l'orizzonte si chiama disoccupazione.

Contro questa caotica e contraddittoria modernizzazione (in realtà tutt'altro che liberale), la richiesta di giustizia e di benessere assumerà dapprima i riflessi della contestazione marxisteggiante. Ma si tratterà di un vicolo cieco. La critica contro il modello « occidentale » dei regimi moderati finisce infatti per fornire un avvallo al modello altrettanto fallimentare dei regimi « rivoluzionari », e con ciò a perdere ogni credibilità e fascino. Proprio al socialismo, e spesso a uno sviluppo di stampo sovietico, infatti, si ispirano i regimi usciti dalle vittoriose guerre di liberazione e ormai avviati nella palude di una impasse che può esibire solo il medesimo sottosviluppo, e corruzione, e polarizzazione fra ricchezze disgustose e povertà insultanti. L'aspirazione alla giustizia e la critica dell'esistente (sia « occidentale » che « rivoluzionario ») sono costrette a cercare un'altra via. La troveranno nel ritorno all'islam.

Il fondamentalismo islamico.

Senza addentrarci in una analisi storica degli antecedenti degli attuali fondamentalismi, e pur avvertiti che in passato i movimenti di ritorno al Corano hanno sprigionato valenze che l'analogia potrebbe battezzare *liberal*, si tratta qui di cogliere quanto caratterizza *oggi* meccanismi e stati d'animo che si stanno dispiegando in movimento egemonico.

Il fondamentalismo non costituisce un fenomeno di

nostalgia, non segnala il desiderio di un ritorno al passato, di un ripiegamento nel tempo zero del mito fuori della storia. Ma un tentativo di ricostruire e dare senso diverso a tutti gli elementi della realtà *attuale*. La nostalgia costituisce lo strumento di una critica e opposizione particolarmente intrattabili al presente stato di cose, in vista di un riscatto da costruire. Anima quindi il presente in quanto pegno della fisionomia futura. Ne nasce un primo paradosso (non sarà il solo). Il fondamentalismo è eterodosso rispetto alla verità proclamata dai custodi ufficiali della tradizione, ma perché vuole un di piú di ortodossia, perché li accusa del cedimento di essere venuti a patti con la blasfemia del mondo.

Sayyid Qutb, ideologo dei «fratelli musulmani» fatto giustiziare da Nasser nel 1966, e le cui tesi sono oggi quasi un *common sense* per le masse arabe, ha focalizzato questa critica dell'esistente riproponendo, anche per i regimi arabi, il concetto di *jahiliyya*, cioè di quell'impasto di barbarie, ignoranza, idolatria che avrebbe caratterizzato il mondo prima della predicazione del Profeta. Tutti i regimi arabi vengono ora, dal fondamentalismo, delegittimati proprio in quanto espressione di *jahiliyya*, e nel rifiuto della *integrità* dell'islam viene identificata la causa anche del loro fallimento politico economico e sociale.

Il fedele di Allah ha infatti un rapporto diretto con il libro, ma al tempo stesso si riconosce senza residui in una comunità di fratelli, la Umma del profeta, alfa e omega della sua identità di essere umano. L'islam non è religione individualistica, insomma. Iscrive le vicende singolari in una storia dell'umanità a chiave provvidenzialistica, che alla fine dei tempi vedrà il dilatarsi dell'islam a mondo, portando a compimento su questa terra la marcia verso la città ideale. La logica dell'Umma possiede dunque compatezza onnipervasiva, poiché la fede impregna dei suoi precetti ogni fibra dell'esistenza, abbracciando quelle diverse sfere di vita che la mentalità occidentale distingue come pubblica, privata, o addirittura intima, in un unico orizzonte di *jihad*. Questo termine indica infatti una *medesima* lotta e tensione, che si manifesta poi sia come sforzo morale interiore volto a combattere il male che alligna in noi, sia come guerra santa per l'espansione della vera religione universale, sia come impegno contro i musulmani sedotti dalla depravazione dei costumi occidentali, e che con ciò si piegano a Satana.

Si tratterà, allora, di far rivivere l'islam nella vita quotidiana di ciascuno e nelle pubbliche istituzioni, assoggettando sia la prima che le seconde alla stretta osservanza dei precetti di Maometto. Le varie tendenze del fondamentalismo islamico, malgrado le polemiche reciproche che spesso le agitano, si sforzeranno in un'opera che sarà insieme di proselitismo religioso, di assistenzialismo sociale e di opposizione politica (potenziale o dispiegata).

Nel fondamentalismo rintocca spesso un'eco egalitaria, dentro un crogiuolo che fonde giustizia sociale, moralità dei costumi, rigore antiformalistico della fede. Il richiamo all'età dell'oro mitizza non a caso la società di Medina inaugurata dal Profeta, con il suo popolo in armi chiamato a condividerne le decisioni, e una linea di successione fondata sulla ispirazione della investitura collettiva. Il rapporto diretto con Dio enfatizza l'eguaglianza di ciascuno in quanto fedele, in opposizione ad un imborghesimento gerarchizzante della religione. Il rifiuto della contaminazione occidentale in nome della fede antica è duplice: corrompimento della verità religiosa ma anche (e perché) rottura dell'unità egalitaria della Umma. Il fondamentalismo fornisce in questo modo un potente surrogato ai valori che la prima generazione della rivoluzione anticoloniale ha issato come vessillo di legittimazione, ma ha poi ammainato nella pratica del potere. Ecco dunque almeno uno, e non fra i minori, degli arcani del revival fondamentalista in territorio islamico. Ma al tempo stesso, il controllo reciproco attraverso la mobilitazione permanente del ritorno alla fede autentica, realizza vertici di conformismo sociale. «Il Corano è la nostra costituzione», inneggiano i fratelli musulmani e decretano i seguaci di Khomeini. Il che può rappresentare un secondo arcano del successo fondamentalista, poiché l'uomo tradizionalmente anela alla servitú volontaria.

Questi movimenti verranno sostenuti sia da regimi moderati come l'Arabia Saudita, che tacita cosí in petrodollari i suoi sensi di colpa di custode non sempre ineccepibile dell'ortodossia e dei luoghi del Profeta, sia (finiti gli anni delle persecuzioni) dai regimi «progressisti», felici di vedere una opposizione religiosa e tradizionalista soppiantare presso gli studenti e i diseredati ogni movimento di ispirazione marxista estremista, giudicato evidentemente piú pericoloso.

Il fondamentalismo islamico è palesemente destinato a caratterizzare un periodo non breve in una zona non piccola del mondo, e non si potrà piú trascurare perciò il suo carattere di ermeneutica integrale, e la teoria delle due Case, *dar al-islam*, che accoglie tutti gli autentici musulmani, e *dar al-harb*, la Casa della guerra, il luogo dell'Altro, a cominciare dall'Occidente cristiano (e tanto piú laico e illuminista). Case irriducibili, il cui strutturale stato di guerra potrà concludersi solo con la espansione universale dell'islam (Renzo Guolo, *L'ideologia dell'imperialismo islamico*, in «MicroMega» 2/92, p. 237). La *jihad* è obbligo morale onnipervasivo del comportamento personale e pubblico, compresi i rapporti internazionali. «La visione islamica prefigura infatti un'idea di ordine mondiale preglobale. Ponendosi come "mondo" e come dilatazione ed espansione infinita di tale mondo fino a farlo coincidere con l'intero *orbis*, l'islam fa mancare ai diversi ordinamenti spaziali quelle relazioni reciproche che costituiscono, in quanto globalità, l'essenza di qualsiasi *nomos*» (ivi, p. 239).

In tale concezione del mondo, che divide gli uomini in fedeli del Profeta e in nemici irriducibili perché infedeli, la guerra santa è l'orizzonte costante dell'esistenza. Solo la secolarizzazione dell'islam, allora, può creare la premessa perché anche il mondo arabo produca democrazia, e con ciò le condizioni per una convivenza stabile con l'Occidente (e con Israele).

Possediamo ora qualche elemento dirimente per discutere la pretesa di Wojtyła sulla inevitabile identità cristiana di un'Europa che voglia essere potenza di dialogo. Sappiamo infatti che il linguaggio per comunicare con l'Altro implica una preliminare «conversione» al principio di tolleranza, e a ciò che ne consegue in termini di salvaguardia per ogni individuo, senza di che vi è solo la «differenza» dei conformismi coatti di gruppo e il «dialogo» dell'ordalía. L'Europa del millennio che si avvicina, perciò, trova nelle sue recenti radici laico illuministiche l'irrinunciabile imprinting di un futuro possibile (e sempre meno certo).

Del resto e per concludere. Il fondamentalismo viene indicato anche da Giovanni Paolo II come una delle abiezioni contemporanee, esattamente sullo stesso piano del totalitarismo comunista. Il che per un papa, e massime per il papa polacco, suona giudizio senza appello. E colpisce, soprattutto, che il «pericolo del fanatismo o fondamentalismo» sia identificato con l'atteggiamento di «quanti, in nome di un'ideologia che si pretende scientifica o religiosa, ritengono di poter imporre agli altri uomini la loro concezione della verità e del bene». *Imporre* è

qui la parola chiave e il comportamento anatemizzato.
Questa tesi ha un ovvio nonché illuministico corollario:
«La chiesa, pertanto, riaffermando costantemente la trascendente dignità della persona, ha come suo metodo il rispetto della libertà» (CA, 46).

Andiamo a controllare coerenza e conseguenze, avventure e metamorfosi, di un cosí spericolato impegno libertario.

Capitolo quinto

Metamorfosi delle libertà

> Questa è la nostra libertà, assoggettarci alla verità.
>
> AGOSTINO DI IPPONA

> Libertà vai sognando, e servo a un tempo vuoi di novo il pensiero.
>
> GIACOMO LEOPARDI

Per prima viene la libertà. «Se vuoi la Pace, rispetta la coscienza di ogni uomo». Questo il promettente titolo kantiano del messaggio di Karol Wojtyła («L'Osservatore romano», 19 dicembre 1990. Tutte le citazioni del papa di questo capitolo sono tratte da questa fonte, salvo precisazione contraria) per la giornata della pace 1991. In esso si trovano affermazioni che sembrano tratti da un prontuario dell'illuminismo militante. «La libertà di coscienza... è essenziale per la libertà di ogni essere umano... Nessuna autorità umana ha il diritto di intervenire nella coscienza di alcun uomo». Il rigoroso rispetto di questa libertà nei confronti di *ciascuno* viene posta addirittura come premessa delle possibilità di convivenza pacifica: «Una seria minaccia per la pace è costituita dall'intolleranza, che si manifesta nel rifiuto della libertà di coscienza degli altri. Dalle vicende della storia abbiamo appreso dolorosamente a quali eccessi può essa condurre».

Ha un meritorio sapore autocritico, quel «dolorosamente», in cui sembrano rintoccare sincerità e pentimento per le membra disarticolate nelle segrete della santa tortura inquisitoria e per i corpi scannati nelle infinite notti di san Bartolomeo della vera religione über alles. L'antico vizio dell'intolleranza viene dal papa polacco ritenuto attuale soprattutto come «tentazione ricorrente» del fondamentalismo, che si realizza ogniqualvolta «una norma specificamente religiosa diventa, o tende a diventare, legge dello Stato, senza che si tenga in debito conto la distinzione tra le competenze della religione e quelle della società politica». Il piú anticlericale dei liberali non potrebbe che sottoscrivere. Se nella *Centesimus annus* sarà sottolineata l'equivalenza funzionale di fondamentalismo e totalitarismo, qui del fondamentalismo viene invece posto in rilievo il rifiuto della separazione fra Stato e chiesa, rivendicando con orgoglio la differenza specifica della religiosità cristiana, che considererebbe blasfema la bandiera: «il Vangelo è la nostra costituzione», poiché è proprio il Vangelo ad ammonire che il regno di Dio non è di questo mondo, e a insegnare che si deve a Cesare quel che è di Cesare.

E non basta. Il papa non si limita a chiedere che venga «riconosciuto e garantito l'insopprimibile diritto di seguire la propria coscienza» ma sottolinea come «paradossalmente coloro che in precedenza sono stati vittime di varie forme di intolleranza possono correre il rischio di creare, a loro volta, nuove situazioni di intolleranza». Qualcuno, con precipitoso ottimismo, ha voluto leggere questa frase come un monito rivolto agli oltranzisti cattolici polacchi e forse allo stesso Wałęsa. Interpretazione fallace, purtroppo. Andiamo a vedere.

Benché le frasi riportate sembrino rivelare una conversione completa del cattolicesimo alla piú sfrenata libertà di coscienza, papa Wojtyła introduce precisazioni e riserve solo in apparenza innocue. «Il diritto alla libertà religiosa non è semplicemente uno fra gli altri diritti umani; anzi, questo è il piú fondamentale... e perciò è l'espressione piú profonda della libertà di coscienza». Si compie silenziosamente, con ciò, la prima metamorfosi papista del-

la libertà. Wojtyła, inaugurando il suo pontificato con la
programmatica *Redemptor hominis*, aveva infatti posto
«il diritto alla libertà religiosa accanto al diritto alla libertà di coscienza» (RH, p. 1860), limitandosi a condannare
la pretesa «secondo la quale solo l'ateismo ha diritto di
cittadinanza nella vita pubblica e sociale». In altri termini, chiedendo su *questa* rivendicazione il sostegno dei non
credenti («anche da un punto di vista "puramente umano"»), Karol Wojtyła vuole sottolineare che per la chiesa
«non si chiede alcun privilegio, ma il rispetto di un elementare diritto» (ivi, p. 1861). Una volta ottenutolo, però,
i termini dell'ineccepibile ragionamento liberaldemocratico sono sottoposti a una brusca strambata, visto che la libertà di coscienza vale ora come articolazione della *libertà
di religione*. Una mossa che abbiamo già incontrata.

Il fantasma dell'Inquisizione.

La religione come garanzia e baluardo della libertà di
coscienza, dunque. Ma vi è un primo ostacolo da supera-
re. Il papa è a conoscenza, naturalmente, che in passato
per chi la praticava o semplicemente la invocava furono
apparecchiati roghi e altri patiboli, per profetica e tassati-
va invocazione dei suoi predecessori. Fantasmi del passato, risponde Wojtyła, ricordando come il Concilio Vaticano II abbia ormai fatto ammenda e pagato dazio per i Tor-
quemada di santa romana chiesa. Con queste parole:
«Nella vita del Popolo di Dio, pellegrinante attraverso le
vicissitudini della Storia umana, di quando in quando si è
avuto un modo di agire meno conforme allo spirito evangelico». Gli fa eco da Parigi il cardinale Lustiger: «Quali
siano state l'origine e le cause, religiose o politiche, del-
l'Inquisizione, è ancora oggetto di discussione» (Jean-

Marie Lustiger, *Le choix de Dieu*, trad. it. *La scelta di Dio*, Tea-due, Milano 1991, p. 126, d'ora in avanti SD). In attesa, ne approfitta per gettare la croce sulla spada: «la logica della potenza dei principî, dei popoli e degli imperi ha trascinato anche gli uomini di Chiesa» (ivi, p. 127). Sono stati traviati dalle cattive compagnie, insomma.

La condanna del papa è un cammeo di reticenza e ipocrisia: le ossa slogate e spezzate, le carni martirizzate dalle tenaglie roventi, corpi di umani individui abbrutiti e straziati fino a divenire «un oggetto... un materiale da usare» (come dice l'arcivescovo di Parigi, che si riferisce all'uso del corpo per il piacere, tuttavia, e non per il piacere di far confessare la vera fede, l'auto da fé – J-M Lustiger, SD, p. 296), uno smisurato e allucinante catalogo di supplizi, insomma, si trasforma e ingentilisce in un veniale «agire meno conforme» rispetto allo spirito evangelico. Un agire *occasionale*, per sovrammercato. C'è di che far piangere di invidia gli eufemismi con cui gli stati maggiori fanno svanire nell'asetticità la nausea e il sangue di un massacro di guerra. Lasciamo la storia con le sue pietre d'inciampo (Is, 8, 18) e torniamo all'oggi.

Questo primato della libertà di religione ha una prima conseguenza pratica: «La formazione della coscienza resta compromessa, se manca una profonda educazione religiosa. Come può un giovane capire appieno le esigenze della dignità umana senza fare riferimento alla fonte di questa dignità, a Dio creatore?». La libertà di coscienza, nelle mani del pontefice, subisce con ciò una seconda metamorfosi, e si identifica ora con l'*obbligo* dell'insegnamento religioso. La coscienza di ciascuno è bensí inviolabile, infatti, ma non può essere posta «al di sopra della verità e dell'errore; anzi, la sua intima natura implica il rapporto con la verità obiettiva, universale ed eguale per tutti, che tutti possono e *devono* (sott. mia) cercare. In questo rapporto con la verità obiettiva la libertà di coscienza trova la sua giustificazione». Si è liberi, dunque, ma solo nel senso che si è obbligati a rapportarsi con la verità obiettiva. Non diversamente Parigi, chiara e distinta: «uno dei diritti imprescindibili della persona umana è la libertà di ciascun uomo di autodeterminarsi in rapporto al proprio fine», solo che questo fine è «il Bene Supremo», *pre*stabilito dall'interpretazione della gerarchia cattolica, anziché *auto*determinato.

Nella versione del papa, la libertà di coscienza si contrappone alla *libertà di opinione* e la esclude. Non ci sono equivoci: «Rivendicare per se stessi il diritto di agire secondo la propria coscienza, senza riconoscere, al tempo stesso, il dovere di cercare di conformarla alla verità e alla legge inscritta nei nostri cuori da Dio stesso, vuol dire in realtà far prevalere la propria limitata opinione». Ma senza la gelosa salvaguardia dei diritti di questa «limitata opinione», la libertà si riduce a dire sí ai dogmi e alle gerarchie. In tal modo viene del tutto vanificata, poiché non costituisce piú un valore autonomo. A rigore diventa superflua. La *limitata* opinione, se non è superbia di un incorreggibile peccare, vale al massimo come inquietudine in cerca di obbedienza. Perché allora tante cattoliche acrobazie e astuzie dialettiche per dare un fondamento a una libertà di coscienza che in realtà si vuole disconoscere? Nessun enigma. Quella libertà svolge un ruolo, benché assolutamente strumentale, nell'economia del pensiero integralista. Essa trova la sua giustificazione «in quanto condizione necessaria per la ricerca della verità degna dell'uomo e per l'adesione ad essa quando è stata adeguatamente conosciuta». Una via piú tortuosa (perché libera!) per approdare alla medesima cogente verità. Niente di piú, insomma, che un labirintico percorso *ad maiorem Dei gloriam*.

Anche la tolleranza, perciò, non andrà intesa nel senso della dichiarazione di Voltaire (detesto la tua opinione ma mi batterò con tutte le forze perché tu abbia il diritto di esprimerla), bensí dovrà andare «di pari passo con la ricerca della verità». Si auspica, tuttavia, che «nel dialogo con gli altri uomini egli (il cristiano)» sia «attento ad ogni frammento di verità che incontri nell'esperienza di vita e nella cultura dei singoli e delle nazioni». L'opinione non sempre è errore. Può accadergli che sia «verità parziale» (SD, p. 95). Che possa essere *libera e autonoma* opinione, non è neppure contemplato.

La libertà di coscienza, ridotta a mero strumento per giungere alla verità «obiettiva», cioè per *rinunciare* alla libera opinione, viene in questo modo non solo negata ma anche *irrisa*. «Chi invece riconosce il rapporto tra la verità ultima e Dio stesso, riconoscerà anche ai non credenti il diritto, oltre che il dovere, della ricerca della verità che potrà condurli alla scoperta del Mistero divino e alla sua umile accettazione». Sei *obbligato* a indirizzare la tua limitata opinione verso la ricerca della *loro* dogmatica verità, per poterla infine umilmente accettare, ma in questo sei titolare di un *diritto*! Quello dell'attenti di fronte al caporale, evidentemente.

La libertà di obbedire.

Il rovesciamento è completato. Il sommo pontefice aveva cominciato chiedendo che non si pretendesse l'ateismo come obbligo, e si accettasse la libertà di credere accanto alle libertà tout court. Ora invece, alla fine del labirinto, la vera libertà di coscienza si esprime solo nell'obbedienza ad una verità precostituita e ai pastori che pretendono di possederne le chiavi. La chiesa nega recisa-

mente, tuttavia, di voler imporre alcunché. «In quanto sa
di essere l'unica rappresentante legittima della verità, non
può non essere intollerante dal punto di vista dogmatico»
ma da ciò «non procede affatto un atteggiamento di intolleranza civile o pratica» (Giacomo Lercaro). «Sarebbe
perfettamente ipocrita pretendere di imporre con norme
sociali o coercitive ciò che solo con la potenza del dono
divino ricevuto nella libertà può essere raggiunto» (SD,
p. 304).

La realtà è meno idilliaca. «La viva attenzione e preoccupazione per i diritti umani» (CA, 47) viene salutata da
Giovanni Paolo II come la grande novità dell'impegno civile che ha sconfitto i totalitarismi dell'est e democratizza-
to la mappa d'Europa. Solo «mediante l'esplicito riconoscimento di questi diritti», anzi, la democrazia in quei
paesi conoscerà «un autentico e solido fondamento»
(*ibid.*). Ma sotto il lemma «diritti umani» il papa non intende le garanzie, le libertà, i poteri, di cui si fecero pala-
dini Tommaso Jefferson e Camillo Desmoulins, bensí «il
diritto alla vita, di cui è parte integrante il diritto a cresce-
re sotto il cuore della madre dopo essere stati generati; il
diritto a vivere in una famiglia unita e in un ambiente morale; il diritto ad esercitare responsabilmente la propria
sessualità» (*ibid.*). Quello che stiamo leggendo nella sua-
dente calligrafia di un caramelloso eufemismo, è in realtà
un catalogo di *proibizioni*, non di diritti, dall'aborto al divorzio alla contraccezione. L'unica indicazione positiva
sarà «il diritto a maturare la propria intelligenza e la propria libertà nella ricerca e nella conoscenza della verità»,
cioè, in questo contesto, una rivendicazione inequivoca di
privilegio per la scuola confessionale. Nessuno stupore,
allora, che «fonte e sintesi di questi diritti» sia «in un certo senso, la libertà religiosa» (*ibid.*). Quel «in un certo
senso» suona offensiva ridondanza, semmai. I medesimi

divieti, del resto, erano già stati teorizzati come misure di «ecologia umana» (ivi, 38-39). Queste opinioni *privatissime*, poiché peculiari esclusivamente della morale cattolica (e solo della piú bigotta), vengono surrettiziamente presentate come «*beni collettivi*, che lo Stato e l'intera società hanno il dovere di *difendere*» (ivi, 40).

I diritti umani si sono convertiti in *doveri cattolici*. Il ruolo dello Stato si metamorfizza di conseguenza: da custode delle libertà civili, a *defensor* di una morale confessionale, di *una* opinione (fra le tante) che andrà imposta *a tutti*. «Chiunque volesse adoperare la coercizione e i mezzi di questo mondo per imporre la verità cristiana alle coscienze sarebbe in errore» (SD, p. 356), infatti, e «la chiesa non pronuncia sanzioni civili o penali» (ivi, p. 299). Ma poi le esige dal braccio secolare delle democrazie, nuove e vecchie. A Radom, il 4 giugno 1991 l'ira di Wojtyła minaccerà: «Esiste un tale parlamento che abbia il diritto di legalizzare l'uccisione di un essere umano innocente e indifeso?» e parla di aborto, sia chiaro, non di infanticidio, e metterà questa dolorosissima esperienza di infinite donne sullo stesso piano del genocidio e altri forni crematori (mentre contribuisce a diffonderla, negando il diritto alla contraccezione). L'ordine dei medici polacchi si conformerà nemmeno un anno piú tardi (il 3 maggio 1992) imponendo cosí attraverso un «mezzo di questo mondo» la verità cristiana (cattolica, anzi). Neppure una settimana piú tardi, un euforico cardinale Angelini, «ministro della sanità» nelle gerarchie vaticane, chiede in perfetta sintonia con il papa che lo «splendido» esempio polacco di velleità cesaropapiste venga esportato in Italia e nel mondo.

E pensare che il documento pontificio da cui abbiamo preso le mosse aveva messo in guardia contro il pericolo che una norma specificamente religiosa diventasse, o semplicemente *tendesse* a diventare, legge dello Stato, e aveva stigmatizzato come fondamentalismo la confusione tra ciò che spetta a Dio e ciò che spetta a Cesare. Gli unguenti miracolosi della dialettica cattolica risanano ogni contraddizione, tuttavia. «Bisogna poi dare a Cesare quel che gli è dovuto, ma nient'altro che questo; e deve essere dato a Dio ciò che gli è dovuto, *vale a dire tutto*», precisa la Sorbona clericale (ivi, p. 260, sott. mia). Aveva assolutamente ragione, Karol Wojtyła, quando metteva in guardia «coloro che in precedenza sono stati vittime di varie forme di intolleranza» (i cattolici dell'est, ad esempio) dal «rischio di creare, a loro volta, nuove situazioni di intolleranza». Un profetico *de te fabula narratur*.

Contro i fondamentalismi, dunque. Ma ciò che deve valere per la parola di Maometto evidentemente non si accetta che valga anche per quella di Cristo nella interpretazione del papa. Gli insegnamenti del Profeta possono infatti essere giudicati contro natura (le quattro mogli!), mentre quelli vaticani esprimono sempre e solo la legge naturale che Dio stesso «creando la persona umana ha iscritto nel suo cuore» e che ciascuno può dunque scoprire. L'artificio della coincidenza tra parola del papa e norma naturale risulta grimaldello efficacissimo: «In ogni campo della vita sociale, culturale e politica il rispetto della libertà di coscienza, *ordinata alla verità* (sott. mia), trova varie, importanti e immediate applicazioni». Le quotidiane pretese di prevaricazione della santa sede (*contro*: il divorzio, l'aborto, la pillola, il preservativo – anche nel caso di Aids! – il sesso extraconiugale – non parliamo dell'omosessualità! – i film «blasfemi» e le pubblicazioni erotiche. E *per*: la scuola confessionale, l'ora obbligatoria di religione e altri privilegi ecclesiastici) potranno ormai essere avanzate sia in nome della libertà che della natura. L'integralismo è dottrina ironica per eccellenza.

Contro la laicità dello Stato.

Operato il miracoloso scambio, in virtú del quale la libertà di coscienza coincide con l'obbedienza alla dottrina di santa romana chiesa, ovvio che la minaccia per la libertà di coscienza (cioè di religione!) venga ora attribuita a «quelle situazioni in cui un esasperato laicismo, in nome del rispetto della coscienza, impedisce di fatto ai credenti il diritto di esprimere pubblicamente la propria fede». Saremmo di nuovo alla «chiesa del silenzio», in altri termini. Ma poiché il pontefice si muove espressamente nell'orizzonte successivo alla caduta del muro e al tracollo dei regimi totalitari dell'est, il riferimento non può che essere alle (sempre piú rare) decisioni laiche delle liberaldemocrazie quando rifiutano alla dottrina cattolica una situazione di privilegio e impediscono, ad esempio, che le opinioni della chiesa in fatto di sessualità, matrimonio, aborto, pornografia, educazione scolastica, diventino leggi dello Stato e impongano a tutti i cittadini una cattolicità coatta.

Che vuol dire, del resto, che «un esasperato laicismo» (cioè la neutralità dello Stato rispetto all'etica cattolica!) impedirebbe *di fatto* ai credenti di testimoniare la propria fede? Che se la pecora del gregge è messa dallo Stato in condizione di decidere senza la pressione di sanzioni penali o amministrative, poiché la carne è debole, sceglierà in difformità da Pietro? Ma non consiste appunto in questo la libertà? Tutto qui, dunque, il misfatto dell'esasperato laicismo: tutelare sul piano legale anche i cittadini i cui comportamenti si oppongono alla morale clericale (contrabbandata come naturale, ovviamente).

Quello che è un semplice rifiuto di stabilire un privilegio viene dalla chiesa spacciato come odiosa persecuzio-

ne. Jean-Marie Lustiger accuserà infatti lo Stato laico di
« rendere *socialmente normativi* dei comportamenti contrari alla dignità umana » (SD, p. 304), solo per il fatto che
li ha resi legali. In tal modo non solo confonde la dignità
umana con le idiosincrasie sessuofobiche delle beghine
(divorzio e contraccezione sarebbero anch'essi « crimini »), ma scambia la non punibilità di un comportamento
con la sua obbligatorietà. Di modo che, per liberare dalla
costrizione sociale di aborto divorzio e preservativo, biso-
gnerebbe gettare in galera chi li utilizza. *Qui pro quo* stu-
pefacente, soprattutto da parte di chi aveva denunciato
« ogni violenza fatta alla coscienza umana, *anche per il suo
bene* » (ivi, p. 354, sott. mia). Legalizzare significa consentire, non costringere. Wojtyła scomoderà invece l'obiezione di coscienza e la disobbedienza civile, mezzi estremi
contro l'iniquità di una legge, per invitare i farmacisti a
non vendere preservativi. Sproporzione e frivolezza che
a questo punto non stupiscono piú.

E tuttavia. Lo stesso Wojtyła considera poi, con singolare contraddizione, ogni forma di pressione, e non solo
quella delle sanzioni penali o amministrative, un ostacolo
alla crescita dell'uomo. « Un ostacolo a tale crescita può
venire dalla manipolazione operata da quei mezzi di comunicazione di massa che impongono, con la forza di una
ben orchestrata insistenza, mode e movimenti di opinione, senza che sia possibile sottoporre a una disamina critica le premesse su cui esse si fondano » (CA, 41). Enigma di
un solo istante. Qui non si chiede maggiore libertà di critica per tutti, e quindi strumenti analitici e culturali ade-
guati (di cui l'assenza della censura è inderogabile abc),
bensí si stigmatizza l'uso libero dei giornali e della televi-
sione, qualora distolgano dalla « obbedienza alla verità su
Dio e sull'uomo, condizione prima della libertà » (*ibid.*),
cioè dai dogmi etici elaborati in Vaticano. Siamo alle soli-

te. La manipolazione acritica è tale solo quando incoraggia il singolo a decidere in difformità dal cattolicesimo, mentre la stessa «ben orchestrata insistenza» diventa meritoria apoteosi delle libertà, se spinge il gregge lungo la morale sessuofobica di santa romana chiesa. Wojtyła cattolicizza Mac Luhan: il messaggio è il mezzo!

Inutile nascondersi dietro a un dito. Il papa polacco vuole rimettere in discussione la laicità dello Stato, cioè il riconoscimento della libertà per tutte le religioni e per tutte le dottrine agnostiche o atee. Questa la *tolleranza* che, sola, assicura e garantisce i diritti dei diversi culti (e quelli dei non credenti), rispetto alle possibili e reciproche pretese egemoniche. Con ciò si esaurisce il compito dello Stato, che sarà *indifferente* in materia di contenuti religiosi (metafisici o morali che siano) e *neutrale* rispetto alle diverse presunzioni di verità. Ma proprio questo storico verdetto si intende rovesciare, senza il quale roghi e guerre di religione non avrebbero avuto mai fine: «Non si può derivare una piena neutralità dello Stato quanto ai valori. Lo Stato deve riconoscere che una struttura di fondo di valori cristianamente fondati è il presupposto della sua tenuta» (Joseph Ratzinger, *Chiesa, ecumenismo e politica*, Edizioni Paoline, Milano 1987, p. 205). E ancora: «Questo ripiegamento nel privato (del cattolicesimo), questo inserimento nel pantheon di tutti i possibili sistemi di valore, è in contraddizione con la pretesa di verità della fede, che come tale è una pretesa pubblica» (ivi, p. 204). Cosa implichi tale «pretesa pubblica» già lo sappiamo: la morale cattolica elevata a morale di Stato. Ma sfiorando l'impudenza, il cardinale del sant'uffizio denuncia la neutralità dello Stato proprio come nuova incarnazione di Stato etico: «dove la chiesa viene soppressa come istanza pubblica e pubblicamente rilevante, viene a cadere la libertà perché lí lo Stato reclama di nuovo per sé la fondazione dell'etica» (ivi, pp. 146 e 156). Le pretese dell'integralismo non finiscono mai. Non piú e non solo, fuori della chiesa nessuna salvezza, ma fuori della chiesa nessuna libertà!

In effetti, il peccato originale della modernità e che ad essa non si perdona, è la critica illuministica del clericalismo. Questo crogiolo della laicità è una vera ossessione per Ratzinger e Lustiger come per Wojtyła. Intollerabile risulta la pretesa della ragione di emanciparsi dalla fede, di dar vita ad un pensiero autonomo, non piú soggetto a teologi e concilî. Il disprezzo per l'autonomia del pensiero deve ricorrere al linguaggio della patologia clinica. «L'incapacità di accogliere la verità [cattolica!] è la malattia della ragione. L'uomo è ferito» e «la ragione può assurgere al potere che le è proprio» solo se «riceve la sua guarigione da Dio» (SD, pp. 195 e 194). «Essere uomo significa essere malato», concorda Leo Naphta, ebreo convertito come Lustiger, che si fa gesuita e diventa un «rivoluzionario della conservazione» (Thomas Mann, *La montagna incantata*, Dall'Oglio, Milano 1979, vol. II, pp. 134 e 129). Scriveva Immanuel Kant: «Se ho un libro che pensa per me, un direttore spirituale che ha coscienza per me, ... io non ho piú bisogno di darmi pensiero da me». In tal modo «tanta parte degli uomini... rimangono volentieri minorenni per l'intera vita», per «mancanza di decisione e di coraggio», per «pigrizia e viltà». E i tutori di questa minorità, i custodi del dogma, «dopo aver in un primo tempo istupiditi (gli esseri umani) come fossero animali domestici e aver accuratamente impedito che queste pacifiche creature osassero muovere un passo fuori del girello da bambini in cui le hanno imprigionate, in un secondo tempo mostrano ad esse il pericolo che le minaccia qualora tentassero di camminare da sole» (Immanuel Kant,

Che cos'è l'illuminismo, Editori Riuniti, Roma 1987, pp. 48-49). Attuale in modo deprimente, purtroppo.

Il caso Rushdie.

La manifestazione piú clamorosa del devastante rifiuto della moderna tolleranza laica si avrà con l'esplodere del caso Rushdie. Che merita piú di qualche cenno poiché costituisce l'occasione del formarsi di una embrionale santa alleanza tra gli integralismi delle tre religioni del libro.

Salman Rushdie viene condannato a morte dall'aya-tollah Khomeini agli inizi del 1989 per il romanzo *Versetti satanici*, ritenuto offensivo nei confronti della verità dell'islam. Un crimine in piú da parte di un regime che in fatto di crimini non ha mai mostrato timidezze. Routine, perciò. Sbalorditive, invece, le motivazioni con cui il gesto verrà giustificato: il dovere del rispetto per gli altri, il principio che esige riconoscimento per la diversità culturale e per le convinzioni di ciascuno. In nome della tolleranza, insomma. E piovono i consensi anche occidentali (topograficamente parlando, almeno). La voce del papa, cioè «L'Osservatore romano» (5 marzo 1989), ammonisce che non si può invocare la libertà e l'arte quando «in loro nome si colpisce la dimensione piú profonda delle persone e si offende la loro sensibilità di credenti. Il diritto ad esprimere la propria opinione non può andare a scapito della dignità e della coscienza degli altri... Il suo romanzo è risultato offensivo per milioni di credenti. La loro coscienza religiosa e la loro sensibilità offesa esigono il nostro rispetto. Lo stesso attaccamento alla nostra fede ci chiede di deplorare quanto di irriverente e blasfemo è contenuto nel libro».

Il rabbino capo ashkenazita di Israele, Avraham Shapira, ammonisce il popolo eletto a tenersi lontano da quel libro «immorale e non umano» e predica perché esso non venga distribuito nelle librerie israeliane, aggiungendo: «Ogni persona religiosa di questo mondo si sente offesa da pubblicazioni del genere... Se avessero dileggiato il nostro Mosè o i profeti non saremmo forse rimasti anche noi sconvolti?». Sarebbe favorevole alla libertà di critica, naturalmente, ma «in questo caso non c'è critica, bensí offesa». Peccato che sullo spartiacque fra critica e offesa sia sempre l'autorità religiosa che si arroga il diritto di decidere.

Monsignor Pietro Rossano, rettore della Pontificia università lateranense, esprime analoga preoccupazione: «Quando si toccano Gesú, la Madonna, non si toccano fatti personali, non si può fare quello che si vuole». Non parla solo *pro domo sua*, tuttavia, ma mosso da altruismo ecumenico: «Viviamo in mezzo a cattolici, ebrei, musulmani, indú, e ciascuno ha diritto ad essere rispettato... Non si può irridere, non si può offendere la sensibilità religiosa».

Il teologo Hans Küng, talvolta in odore di eresia, rincara la dose: «Non ci si può richiamare semplicemente alla libertà di pensiero e di stampa... Bisogna prevedere reazioni corrispondenti (una condanna a morte, ad esempio? n. d. r.), quando si attacca una persona che per centinaia di milioni di uomini e donne è tuttora viva e non una persona qualsiasi ma, per cosí dire, quella piú in alto sotto Dio». Se l'è andata a cercare, insommma, il signor Rushdie. Come le donne sensuali lo stupro secondo la corrente mitologia bigotta, magari. Ma Küng dovrebbe ricordare che anche molti suoi lavori risultano offensivi per i credenti, almeno secondo l'opinione di papi e sant'uffizi, che in campo cattolico non sono gli ultimi arrivati (le citazioni di Shapira, Rossano, Küng, sono tratte dai giornali di quei giorni).

Dietro gli accattivanti ragionamenti, una pretesa perentoria: in nome del diritto di tutte le religioni a non sentirsi offese, l'onnilaterale esercizio della censura. Proviamo infatti ad estendere quel diritto non solo ad ogni confessione ma anche ad ogni ismo e ad ogni impegno ideologico (o le convinzioni dei non credenti sono di serie b e dunque non possono essere offese?) Se tutto ciò che offende qualcuno va bandito, ben pochi testi (e di scarso interesse) potranno sottrarsi alla proibizione universale. A chi spetterebbe decidere, infatti, sul confine tra critica e offesa? Al diretto interessato, hanno risposto i religiosi prima citati (rispunta la teoria della sovranità del «vissuto»!) Troppo spesso, allora, la semplice critica suonerà offesa agli orecchi di chi ne è l'oggetto, e tanto piú sarà avvertita come ingiuria quanto piú la propria convinzione sarà vissuta con fanatismo.

La santa alleanza degli integralismi esige il rispetto per tutto ciò che è sacro, nella forma di anatema e censura per ogni critica che al seguace delle differenti confessioni appaia come dissacrazione. Ma dimentica che questa via è stata già praticata in passato, dando luogo a interminabili guerre di religione. Se si pretende di far valere in modo rigoroso il diritto a non essere offesi, e se di tale offesa è insindacabile giudice l'autorità di fede (religiosa o atea che sia), una notte di san Bartolomeo sarà sempre in agguato, a meno di non tornare alla *cuius regio, eius religio*, che trasforma il cittadino in proprietà del sovrano.

All'opposto e senza perifrasi, invece: *ogni empietà ha diritto all'espressione.* Questo dice la libertà di espressione se presa sul serio. E infatti. Ciò che al fedele (o al fanatico) appare empietà, è per chi la formula un mero esercizio del diritto di critica. E tale diritto va salvaguardato nella

sua forma piú estrema, poiché in questo campo la tentazione ricorrente, da parte di ogni credo e di ogni potere, è
quella di santificare solo la libertà di mordacchia.

Si può manipolare il concetto di tolleranza per intro-
durre l'intolleranza della censura, insomma, o per condurre giochi ancora piú sporchi. La disobbedienza civile
in mano ai fondamentalisti evangelici americani si conver-
tirà cosí in azione intimidatoria di commandos contro le
donne che in ospedale sono in attesa di abortire, e che dalla legge sono *autorizzate* ad abortire, non certo costrette.
Mentre l'obiezione di coscienza da parte di medici e personale sanitario vanificherà nei fatti il diritto a tale presta-
zione sanitaria, benché legalmente garantita, in intere re-
gioni d'Italia. Non parliamo poi dei numerosi casi (perfino la Germania, in sostanza) dove l'aborto è ancora considerato un delitto, dove cioè la legge religiosa è imposta
dallo Stato anche ai non credenti. E l'offensiva per rendere obbligatorio in questo campo il fondamentalismo è in
pieno svolgimento, come sappiamo, da New York a Varsavia, passando per l'inevitabile Roma.

Gli equivoci dell'obiezione di coscienza.

Approfondiamo il tema dell'obiezione di coscienza,
poiché il diritto del medico a rifiutarsi di praticare aborti
sembra a molti essere cosa che va da sé. Pure, nessuno ac-
cetterebbe che un operatore sanitario negasse a un paziente una trasfusione di sangue solo perché la sua fede,
Geova, glielo proibisce. Si riterrebbe ovvio che quel medico, o quell'infermiere, rinunciassero ad una professione
che li obbliga a prestazioni contrarie alle rispettive convinzioni religiose. Ma la fede del «Testimone di Geova» è
rispettabile quanto quella del cattolico e merita di essere

egualmente tutelata. Il punto perciò è un altro. Fare il medico non è un obbligo, come la leva, ma una libera scelta professionale. E l'obiezione al servizio militare ha senso fintanto che il servizio militare si basa sull'universale obbligo di leva. Laddove vi fosse solo un esercito di mestiere, di volontari, il diritto all'obiezione diventerebbe un non senso. Per chi in coscienza rifiuta le armi, infatti, basterebbe in questo caso scegliere una diversa professione, o dimettersi dall'esercito se un ripensamento di coscienza intervenisse successivamente.

A maggior ragione nelle attività civili, dove ogni professione comporta delle prestazioni nei confronti di altri. Queste prestazioni, proprio perché configurano un diritto dell'utente, costituiscono dei *doveri* professionali. A chi non se la sente, o non può assolverli per via della propria fede, non resta che scegliere una diversa professione. Sacrificio non poi cosí grande, per un credente. Altrimenti, ogni professionista potrebbe rifiutarsi alle prestazioni che la legge pure garantisce all'utente: il giornalaio potrebbe decidere a proprio arbitrio (o del proprio pastore) cosa vendere e cosa mandare al macero (al rogo, se si preferisce), poiché la sua coscienza gli impone una crociata contro la pornografia, o contro la stampa comunista (la cui lettura era colpita da scomunica ai tempi di papa Pacelli). E il farmacista potrebbe rifiutarsi di vendere il popolarissimo preservativo, in quanto contrario all'adulterio, alla sodomia, alla fornicazione in genere o semplicemente all'uso del sesso non finalizzato alla procreazione, consigliando l'astinenza come alternativa. Questo rifiuto, del resto, questa «disobbedienza civile», ha chiesto il papa di recente, abbiamo visto (mentre le autorità cattoliche si impegnano, quasi sempre con successo, a vietare la menzione del preservativo perfino nella pubblicità contro l'Aids).

Diritti e poteri. Siamo con ciò al cuore della democrazia come *problema*. Troppo spesso si continua ad equivocare, infatti, e a ritenere che essa significhi in primo luogo consenso, governo della maggioranza. Ma questo è solo il *secondo* principio della democrazia moderna. Il primo è più che mai il rispetto delle minoranze, fino a quel dissenso non ulteriormente divisibile costituito dall'opinione intrattabile del singolo.

Su questo sembra intransigente anche papa Wojtyła, convinto che vi siano «diritti che nessuno può violare... Non può farlo nemmeno la maggioranza di un corpo sociale, ponendosi contro la minoranza, opprimendola, sfruttandola o tentando di annientarla». Sembra di ascoltare Benjamin Constant che oppone la democrazia dei moderni, la *liberal*democrazia, a quella degli antichi, quando la maggioranza poteva gettare l'ostracismo su chiunque, escludendolo dalla cittadinanza. È il rischio che corre la sovranità democratica quando diventa sovranità *generale*, e sotto il manto di tale ipostasi può progressivamente epurare il *tutti* che dovrebbe costituirne il fondamento, fino a ridurlo all'Uno di un incontrollato e totalitario dominio. Disinnescare questa immanente possibilità è l'*hic rodus* del costituzionalismo e del garantismo. Tutto torna, allora. Il papa polacco è preoccupato di sventare una possibile deriva totalitaria del principio di maggioranza, visti gli esiti della interpretazione comunista di Rousseau, e perciò ribadisce: «Un'autentica democrazia è possibile solo in uno stato di diritto» (CA, 46).

Ma non è il fondamento liberale della democrazia che gli sta a cuore. Completiamo la citazione. Una autentica democrazia è possibile esclusivamente «sulla base di una *retta* concezione della persona umana». Che è tale solo se obbediente alla chiave ermeneutica di Pietro, ormai lo sappiamo a memoria. «La chiesa apprezza il sistema della democrazia» (*ibid.*) insomma, ma solo se è democrazia *cattolica*. Non si tratta di eccessi polemici. «Una democrazia senza valori [cristiani, beninteso] si converte facilmente in un totalitarismo aperto oppure subdolo, come dimostra la storia» (*ibid.*). Perché una democrazia sia «vera e sana» (Pio XII, *Il sesto Natale di guerra*, radiomessaggio), lo Stato deve essere «unità organica e organizzatrice di vero popolo» (*ibid.*) e il governante vedere «nella sua carica la missione di attuare l'ordine voluto da Dio» (*ibid.*). «Se l'avvenire apparterrà alla democrazia, una parte essenziale nel suo compimento dovrà toccare alla religione di Cristo e alla Chiesa» (*ibid.*). Cosí Eugenio Pacelli nel sesto natale di guerra (radiomessaggio citato come attuale dalla *Centesimus annus*), da quel Vaticano che con i suoi compiacenti passaporti falsi avrebbe tra breve cominciato a proteggere la fuga dei criminali nazisti verso le dittature sudamericane.

L'atteggiamento verso i fascismi resta ambiguo anche in Wojtyła, e non inspiegabilmente, a questo punto. Un sabba di eufemismi e di circonlocuzioni avvolge la descrizione del fenomeno: «Ci sono poi, altre forze sociali e movimenti ideali che si oppongono al marxismo con la costruzione di sistemi di "sicurezza nazionale", miranti a controllare in modo capillare tutta la società per rendere impossibile l'infiltrazione marxista. Esaltando e accrescendo la potenza dello stato, essi intendono preservare i loro popoli dal comunismo; ma, ciò facendo, corrono il grave rischio di distruggere quella libertà e quei valori della persona, in nome dei quali bisogna opporsi ad esso» (CA, 19).

Sta parlando dei fascismi clericali strabenedetti dai suoi predecessori. Ma la garrota di Franco resta evidentemente meno empia della galera del cardinal Mindzenty, vista l'abissale differenza di tono rispetto alla condanna dei comunismi. Le intenzioni erano buone, infatti, e vengono contestati solo i mezzi, ritenuti eccessivi, non i valori, su cui nulla si eccepisce. Mentre è vero il contrario. Se c'è qualcosa che rende asimmetrici i totalitarismi di destra e di sinistra, sono proprio i valori di riferimento. Nazismo e fascismo esaltano espressamente la distruzione della democrazia, e tutta l'attrezzatura retorica e poliziesca che ritiene le libertà una disgustosa sindrome psicosomatica, da guarire con rimedi che vanno dall'olio di ricino ai lager. Il comunismo esordisce invece con l'obiettivo di realizzare tutti i presupposti, i contenuti e gli sviluppi di una democrazia che, in termini borghesi, giudica destinata a restare miserabile e monca. Dal punto di vista dei risultati di orrore, il gulag del padre dei popoli vale i campi di sterminio del führer, ma solo la diversa matrice ideologica spiega come mai a partire dal marxismo eretico si arrivi ad approdi libertari (è il tragitto storico di gran parte del dissenso, come sappiamo), mentre a partire dai razzismi e dai fascismi una evoluzione analoga è impensabile.

Crisi della democrazia e relativismo etico.

Sia chiaro. La democrazia è effettivamente a rischio. È regime per natura fragile, esposto alle manipolazioni demagogiche. Corre dunque costantemente «il pericolo... che le apparenze di una democrazia di pura forma servano come maschera a quanto vi è in realtà di meno democratico» (Pio XII, cit.). Le «deviazioni del costume politico col tempo generano sfiducia e apatia con conseguente diminuzione della partecipazione politica e dello spirito civico in seno alla popolazione, che si sente danneggiata e delusa» (CA, 47), ma i due papi non stanno focalizzando la degenerazione partitocratica, bensí lamentando la riluttanza delle moderne democrazie a sottomettersi ai dogmi cattolici. Ma tra mancanza di democrazia e indigenza di fede cattolica non vi è alcun nesso, tanto è vero che la religione fu santo piedistallo per gli alalà! di Mussolini e i ¡viva la muerte! della falange. È dunque innegabile che una democrazia non possa fare a meno di valori, ma dei *suoi* peculiari, che sono poi quelli della modernità e dei diritti degli individui secolarizzati, fra l'altro. Senza contare che Wojtyła fulmina di indignazione, nei giorni feriali, i politici italiani corrotti, ma i suoi vescovi invitano poi le pecore del gregge, la domenica delle urne, a votare unite proprio per il partito che hanno accusato di infangare il nome cristiano a forza di nefandezze.

Karol Wojtyła si risente perché «oggi si tende ad affermare che l'agnosticismo e il relativismo scettico sono la filosofia e l'atteggiamento fondamentale rispondenti alle forme politiche democratiche, e che quanti sono convinti di conoscere la verità e aderiscono ad essa con fermezza non sono affidabili dal punto di vista democratico», ma rinnova un interessato equivoco quando fa credere che le perplessità laiche nei confronti degli integralisti cattolici dipendano dal fatto che essi «non accettano che la verità sia determinata dalla maggioranza». A un liberaldemocratico dei nostri giorni non verrebbe mai in mente, infatti, che una maggioranza politica determini una qualsivoglia «verità», bensí che stabilisca solo una preferenza, un interesse, una opinione *maggioritari*, appunto. È invece la mentalità cattolica che resta ossessionata dal mito della verità etica e politica, e quindi incapace di leggere uno scontro fra maggioranza e minoranza in termini di semplici e controvertibili opinioni.

La democrazia è in crisi. *Lobotomizzata*, poiché viene sottratta al cittadino non appena il potere si trasforma in traffico e mestiere monopolistico. La critica democratica

nei confronti delle democrazie realmente esistenti focaliz-
za proprio questo collasso dell'ideale di un potere condiviso (nel duplice senso di frammentato e partecipato).
Non ogni critica è di questo conio, tuttavia. Sempre piú
spesso circolano aggressioni alla democrazia accattivanti
e convincenti sotto il profilo *destruens*, mosse però da
umori illiberali e populistici, e animate dall'obiettivo di
piú soffocanti costrizioni organicistiche. Proprio il radicalismo *liberal* condivide perciò senza riserve l'invettiva
del papa contro chiunque intenda negare «autonoma esistenza e valore alla morale, al diritto, alla cultura e alla religione» (ivi, 19) rispetto all'economia. Quel sistema di
autonomie costituisce l'orizzonte elementare nel quale
approssimare gli impegnativi ideali democratici. Se mai,
nel parlare di morale, cultura, diritto, religione, il democratico usa il plurale, consapevole che senza salvaguardia
delle minoranze ogni autonomia svanisce.

Dietro questa «sfumatura», una divergenza di fondo.
Karol Wojtyła, infatti, non difende l'autonomia *reciproca*
di ogni sfera rispetto alle altre, compresa quindi l'autonomia di morale, cultura, diritto rispetto alla religione, allo
stesso titolo che rispetto ad un preteso primato dell'economico, bensí rivendica come autonomia di quelle sfere la
loro *obbedienza* alle dogmatiche opinioni di santa romana
chiesa. In virtú di tanta stravaganza logica, «una concezione della libertà umana che la sottrae all'obbedienza
della verità [religiosa, cattolica]» (ivi, 17), invece di essere
applaudita come baluardo e fondamento di quelle autonomie, viene vilipesa e ostracizzata. Per Wojtyła, autonomia è un mero sinonimo di verità nel senso di *cattolicità*.
L'autonomia di morale, cultura, diritto, è la loro eteronomia, poiché coincide con l'*auctoritas* della chiesa.

Si faccia attenzione, però. Tante spericolate acrobazie
dialettiche hanno una sgradevole conseguenza: la critica

wojtyłiana del totalitarismo perde in questo modo di valore perché sfuma nel generico. Seguiamo i vari passaggi.

«L'errore fondamentale del socialismo», cui dobbiamo l'esito totalitario, «è di carattere antropologico» e consiste nel considerare «il singolo uomo come una molecola dell'organismo sociale... del tutto subordinato al funzionamento del meccanismo economico-sociale». In opposizione irriducibile al totalitarismo, che degrada «l'uomo ad una serie di relazioni sociali», viene tenuto fermo «il concetto di persona come soggetto autonomo di decisione morale, che costruisce mediante tale decisione l'ordine sociale» (CA, 13). Il totalitarismo da una parte, la *decisione* libera di ciascuno dall'altra. Aut aut. L'essenza del totalitarismo è qui presentata come negazione della decisione morale *autonoma* che spetta a quel ciascuno che tutti noi siamo.

Ma successivamente, «l'errata concezione della natura della persona e della "soggettività" della società», caratteristica del totalitarismo, viene fatta risalire all'ateismo. «La prima causa è l'ateismo» (*ibid.*), ma poiché non ne vengono indicate altre, l'ateismo *esaurisce* la spiegazione del totalitarismo. Ora, l'ateismo è un tratto generico e inessenziale del totalitarismo, tanto è vero che vi sono atei sostenitori di esso e atei che lo hanno combattuto senza quartiere (mentre vi sono cattolici doc che il totalitarismo hanno esaltato, benché di segno anticomunista, e il loro nome è legioni). Con questo scambio logico fra soggetto e predicato, poiché il totalitarismo è *anche* ateo, l'ateismo viene presentato come la *quintessenza* del totalitarismo, e ogni ateo porta dunque il totalitarismo con sé, malgrado ogni evidenza contraria. Con questo artifizio la soggettività, che vale come opposizione e antidoto al totalitarismo, o è cattolica o non è.

Parallelamente e su un altro versante, tutte le opposizioni di matrice laica al totalitarismo vengono dapprima ricondotte alla rivendicazione del libero mercato e immediatamente dopo alla «società del benessere, o società dei consumi» (ivi, 19), ripetendo lo stesso procedimento di abusivismo logico prima evidenziato. Esiste una vasta gamma di antitotalitarismi laici, ma solo *uno* dei tanti possibili predicati viene assunto come esaustivo di tutti gli altri e trasformato in soggetto, in quintessenza del fenomeno di cui costituiva invece una delle tante varianti possibili. Ridotta cosí la laicità a consumismo (come se non vi fosse una tradizione laica di *austerità*), e dunque a materialismo, ovvio che essa converga con il marxismo «nel ridurre totalmente l'uomo alla sfera dell'economico e del soddisfacimento dei bisogni materiali» (*ibid.*). A forza di ridurre lo specifico al generico, liberalismo e comunismo, individualismo e organicismo, totalitarismo e consumismo, diventano una stessa e medesima *quiddità* sotto il segno dell'ateismo. E poiché «l'ateismo di cui si parla è strettamente connesso col razionalismo illuministico» (ivi, 13), sappiamo ora a chi imputare Kolyma e Auschwitz (oltre che Mac Donald e Jacuzzi): va tutto in conto a Immanuel Kant e François-Marie Arouet detto Voltaire.

Finitezza e alienazione.

Se tutto è totalitarismo, nulla è totalitarismo. Ma c'è del metodo, in questa follia logica. Contro il totalitarismo si comincia col rivendicare il «soggetto autonomo di decisione morale», e si finisce per identificarlo con la «concezione cristiana [*id est* cattolica romana] della persona», dalla quale «segue necessariamente una visione giusta della società» (*ibid.*), cioè con l'eteronomia della decisione morale. L'antidoto al totalitarismo, la soggettività, era la persona, l'individuo, il ciascuno. Ora, la soggettività è Dio, e l'illuminismo il gulag. Con la logica dell'amalgama si fondono gli eterogenei ma si distrugge il principio di contraddizione. Analogo trattamento mistificatorio subisce il concetto di alienazione.

Per Wojtyła «l'alienazione... è un fatto reale anche nelle società occidentali», sebbene vada inteso in senso diverso da quello marxista. Essa coincide, infatti, non con la mercificazione della forza lavoro ma «con la perdita del senso autentico dell'esistenza» (ivi, 41). Ma in cosa consiste tale inautenticità? Nel consumo, ad esempio, «quando l'uomo è implicato in una rete di false e superficiali soddisfazioni, anziché essere aiutato a fare l'autentica e concreta esperienza della sua personalità», oppure «nel lavoro, quando è organizzato in modo tale da "massimizzare" soltanto i suoi frutti e proventi e non ci si preoccupa che il lavoratore, mediante il proprio lavoro, si realizzi di piú o di meno come uomo» (ibid.). Qui l'opposto della inautenticità è costituito dal realizzarsi come uomo, dal grado maggiore o minore di approssimazione a questa sua personalità. Ma tale risposta sposta semplicemente l'interrogativo. Cosa vuol dire «realizzarsi»? In cosa consiste una soddisfazione autentica rispetto ad una falsa e superficiale? Chi decide su tali materie? Se stiamo parlando dell'uomo, di ogni uomo, di quell'unicum irripetibile che (anche per il cristianesimo) è ciascun singolo insostituibile individuo, l'alienazione è l'estraneazione del soggetto da sé, il suo perdersi, il darsi in possesso ad altri o in significato ad altro, il non essere piú sovrano della propria esistenza. Piú sobriamente (e lasciando in pregiudicato se e in quale misura essa sia indisgiungibile dall'esistenza): alienazione è il contrario di autonomia.

Sotto questo profilo, realizzarsi allude (nella dimensione dell'approssimazione, che daremo per implicita in tutto il discorso che segue) a un libero accesso di ciascuno ai diversi piani dell'esistenza, alla ricchezza di chance simmetricamente diffuse che consentono di spostare il baricentro della propria esistenza da una sfera all'altra e di frequentarle comunque tutte, alla possibilità di autoprogettarsi, in conclusione, gerarchizzando passioni ed esperienze secondo un orizzonte mai appiattito nell'irreversibile. Realizzarsi significa in tale contesto essere padroni della identità propria. Alienarsi è il suo opposto, evidentemente.

Si può invece intendere questo realizzarsi secondo la dismisura di un bisogno inesauribile e inesaudibile che metta capo alla identificazione del singolo con il genere umano, e della sua esperienza con l'essenza di quello, secondo una multiforme e contraddittoria tradizione, variegata e fin qui egemonica. È in sintonia con questo approccio metafisico anche la linea «oltre-metafisica», per la quale realizzar*si* va inteso piuttosto come realizzazione di un compito o di un destino, stabilito altrove e da altri. Ci si avvita cosí, infatti, nel precipizio di un'alienazione inarginabile, poiché con tale «realizzarsi» ci si dà piuttosto in strumento ad una finalità altrui, ci si *reifica* in manifestazione alienata di un soggetto *altro*. L'heideggerismo apoteosi dell'hegelismo.

Tale tradizione comporta sempre, infatti, la *presupposizione* di ciò che l'essenza del genere umano sarebbe, per predisporre e orientare il ritorno e la ricongiunzione del singolo ad essa. Empiricamente, infatti, tale essenza è introvabile. L'uomo realmente esistito ed esistente, è tutto ciò che storicamente è stato, ma anche – se l'uomo *essenzialmente* – tutto ciò che potrà essere. Le sue virtualità. L'essenza dell'uomo non è mai data, perciò, ma costituisce una *scelta*, anche quando la si spaccia come una descrizione, una conoscenza, una intuizione, una rivelazione. Ogni teoria *decide* cosa sia l'essenza umana, e di conseguenza l'autenticità, il dover essere contrabbandato come essere dell'uomo. È proprio questo, anzi, il vertice di una ineludibile decisione morale.

Wojtyła, chiamando alienazione la inversione di fini e mezzi, intende come alienazione proprio la pretesa dell'uomo di essere fine a se stesso, di progettarsi invece di estraniarsi, mentre il *totus tuus* del donarsi pienamente «al suo destino ultimo che è Dio... l'autore del suo essere e l'unico che può pienamente accogliere il suo dono» (ivi, 41), sarebbe l'unico modo coerente di rifiutare l'alienazione. Ma il libero dono come destinato affi*darsi* al tutto dell'Altro, costituisce la pienezza dell'alienazione umana.

Suona ineccepibile, naturalmente, denunciare alienazione nel fatto che «gli uomini si strumentalizzano vicendevolmente e, nel soddisfacimento sempre piú raffinato dei loro bisogni particolari e secondari, diventano sordi a quelli principali e autentici» (*ibid.*), ma in realtà non vi è alcun nesso fra strumentalizzazione e tipo dei bisogni. Se è alla divisione del lavoro e alla proprietà privata che si allude, un «uso» reciproco c'è anche per la soddisfazione di quelli piú elementari (il macellaio, il birraio e il fornaio di Adamo Smith insegnano) e non solo per l'ignobile cappottino di cashmire del chihuahua. Se invece è allo squilibrio delle ricchezze che si pensa, è proprio la dottrina sociale cristiana che sistematicamente si è opposta alle lotte per modificarlo (compreso il «socialismo moderato», abbiamo visto).

In realtà, sembra che si parli di diseguaglianza, ma l'obiettivo primario del pontefice è quello di combattere «l'uomo che si preoccupa solo o prevalentemente del *godimento* [e non solo "dell'avere"], non piú capace di dominare i suoi istinti e le sue passioni» (*ibid.*). In altri termini il piacere, anche quando non costi nulla e sia alla portata di tutti. Il piacere per il piacere e l'estasi della lascivia, infatti, sono un colpevole «strumentalizzarsi», mentre la stessa carezza, se finalizzata al consolidarsi del matrimonio, si converte in meritorio «dono di sé». Perché mai questa disparità di trattamento? Proprio l'erotismo più intensamente realizzato, infatti, costituisce un *reciproco* e simmetrico dono di sé (benché escluda Dio).

Non essere padroni del proprio corpo. Questa forma elementare ed estrema di alienazione vale invece agli occhi dell'integralismo cattolico quale disalienazione e libertà per eccellenza. «La sessualità deve seguire la sua vocazione divina... Non è solo luogo di libertà, ma anche di somiglianza a Dio», tanto è vero che «i genitori non sono dei creatori; essi procreano» (SD, pp. 297-98). Creano come *strumenti* di Lui. Essere persona implica che non si disponga del proprio corpo, ma che ne disponga santa romana chiesa, e se ne usi solo nei termini da essa sessuofobicamente dogmatizzati.

L'alienazione era stata inizialmente esemplificata attraverso condizioni specifiche di lavoro e di consumo. Ma, non a caso, nulla viene detto sulle concrete operazioni di riforma che potrebbero ridurla, contrastarla, circoscriverla. Le cose restano tali e quali, ma risultano disalienate poiché investite di un vissuto cristiano. «La gente ha una visione piatta, attaccata alla terra, a due dimensioni. – Quando vivrai la vita soprannaturale otterrai da Dio la terza dimensione: l'altezza e, con essa, il rilievo, il peso, il volume» (Josemaria Escrivà, *Cammino*, Mondadori, Milano 1992, p. 56). Il rovesciamento, la disalienazione, avviene solo nella interiorizzazione dell'iscrizione immaginaria del *medesimo* in un fantasmatico disegno di salvezza, quando le stesse cose entrano nel cerchio magico della destinazione a Dio. Contro quel riformare che è l'au-

tonomo progettarsi, è qui in agguato il rischio della rassegnazione santificata.

La disalienazione, nella forma di redenzione, viene annunciata per un *altrove*, proprio come i domani che cantano dei surrogati rivoluzionari della religione. In ambedue i casi, infatti, disalienazione vuol dire identificazione (e perdersi) del singolo in una umanità riconciliata e realizzata, ritorno del singolo al Tutto. Solo che questo piú estremo altrove della religione può dimorare fin da subito nel cuore dell'uomo attraverso il terzo occhio della fede.

Ma non è proprio questo, dell'adeguamento finale dell'esistenza all'essenza, uno dei travestimenti e delle metamorfosi del delirio di onnipotenza? Il desiderio di essere Dio, poi la presunzione di essere come Dio, infine la speranza che ci sia un Dio (che ci possa salvare), almeno. Alienazione vuol dire esattamente il rifiuto della finitezza della condizione umana, e la dismisura della pretesa che ne consegue, di cui è sintomo nevrotico il «sentimento oceanico» analizzato da Freud, e che esige di ricongiungersi al Tutto.

Capitolo sesto

Il peccato della finitezza

> La tecnica della religione consiste nello sminuire il valore della vita e nel deformare in maniera delirante l'immagine del mondo reale, cose queste che presuppongono l'avvilimento dell'intelligenza.
>
> SIGMUND FREUD

Il Sillabo di Pio IX gettava l'anatema sulla pretesa laica che leggi e costumi potessero non conformarsi alla «divina ed ecclesiastica autorità» (proposizione LVII). Il Sillabo di Wojtyła fulmina: «La negazione di Dio priva la persona del suo fondamento» (CE, p. 21). Il mondo moderno viene avversato e disqualificato nella sua interezza. Non piú *acquisizione*, magari da criticare in aspetti anche decisivi, ma da realizzare poi nei suoi presupposti. Da rettificare e migliorare, non da respingere. Al contrario, la modernità viene rappresentata come un catalogo di rovinosi fallimenti alla cui radice sarebbe il processo di secolarizzazione, che la superbia dell'intelletto laico ha inteso come *emancipazione*, come liberazione della cultura dalla soffocante tutela della teologia e della fede, ma che si rivelerebbe in conclusione come *smarrimento* della ragione, una volta abbandonata a se stessa. Anomía, naufragio dei valori, perdita di identità, tracollo dei rapporti umani nell'anonimato, mancanza di senso, universale frustrazione: tutto viene messo in conto esclusivamente alle pretese «deliranti» della ragione libera dal vincolo con Dio.

Scienza e tecnica sfuggono al controllo dell'uomo proprio perché questi non si riconosce piú creatura di Dio, e rivendicando autonomia di creatore finisce zimbello del movimento incontrollabile e smisurato di ciò che egli stesso ha prodotto, la tecnica. Il peccato originale della modernità sarebbe dunque l'antropocentrismo. Ma non, si badi, nel senso di quella infondata presunzione che, anche dopo Newton, si illude di mantenere l'uomo al centro dell'universo, quando è ormai chiaro che l'intera avventura umana è un quasi-nulla, frutto improbabile e comunque effimero del caso e della necessità, gettato nell'infinito di un cosmo impersonale e sperduto nel suo silenzio. L'antropocentrismo che la fede qui censura è il mero rifiuto del teocentrismo, che si intende invece restaurare. All'apocalisse heideggeriana che annuncia le medesime tesi e che proclama con la disperazione del non credente «solo *un dio* ci può salvare» risponde perciò la certezza della religione: solo *Dio* ci può salvare e ci salverà.

In questa scomunica della modernità si manifesta l'essenziale di un possibile ecumenismo a tentazione fondamentalista fra le tre religioni del Libro. Comune sia la diagnosi che la terapia: dichiarare l'impotenza della società a risolvere i propri problemi, finché l'uomo pretenderà di governarsi con la semplice ragione. Indicare la strada per ricostruire la società fondandosi sui precetti della religione, praticati rigorosamente nella sfera privata e imposti in quella pubblica attraverso le istituzioni e le leggi.

Questo rinnovato integralismo suona talvolta critica verso la religione istituzionalizzata, che si sarebbe «imborghesita» venendo a patti col mondo, lasciandosi contaminare dalla società secolarizzata e infiacchire dallo spirito di adattamento. Il Concilio Vaticano II rappresenta agli occhi di molti un episodio di questo addomesticamento. Non lo si dice apertis verbis, poiché *continuità* è la regola che governa il *mutamento* nella chiesa cattolica, perenne di verità. E tuttavia il senso di tante polemiche di «Comunione e liberazione» è proprio questo: i vescovi cattolici caddero nella tentazione di *assumere* la modernità e cercare di mostrarne la non incompatibilità con il messaggio religioso, mentre si trattava di rovesciarne i termini: non già modernizzare il cristianesimo, ma evangelizzare l'universo della secolarizzazione. Infine, la provvidenza chiamò Wojtyła, che aveva esattamente questo programma. In ambito musulmano la stessa logica recita: non già modernizzare l'islam, bensí islamizzare la modernità.

Con l'integralismo, in altri termini, le religioni rifiutano quel destino di religioni *secolarizzate* che sembrava ineluttabile, e che ora viene invece letto come provvisoria deriva. E intendono riaffermarsi come intransigenti e intrattabili *Verità*. Religioni *forti*. Che, armate di certezze, non intendono piú abbandonare la vita individuale e sociale alla libertà dei singoli e all'arbitrio delle coscienze, ma vincolarle alla obbedienza del Soglio o del Libro.

Sotto il profilo sociologico i protagonisti della nuova ondata integralista appartengono, in Occidente come nel Terzo mondo, alle classi relativamente colte, di elevata scolarizzazione, con forte presenza giovanile, con un pronunciato orientamento per il piú moderno sapere tecnico. Non si tratta, perciò, di un fenomeno marginale, di un residuo di arretratezza oscurantista. Ciò rende ancora piú pericoloso, e penoso, il paradosso che vede gruppi oppressi (o ex oppressi), alleati a movimenti fondamentalisti nel rivendicare come valore antiche forme di oppressione. Cosí, in Francia vi saranno ebrei che condannano l'emancipazione voluta dalla rivoluzione dell'ottantanove e che rivalutano la logica del ghetto, poiché garantiva una identità che in nome dell'eguaglianza la rivoluzione ha distrutto. Cosí baciapile e femministe si ritroveranno fianco a fianco nella crociata contro la pornografia e nella richiesta di ripristino della censura. Cosí il femminismo piú estremo si allineerà con l'arcivescovo di Torino che predica il ritorno alle classi separate per maschi e femmine nella scuola. In definitiva, l'obiettivo degli strali integralisti è preciso: i valori laici della democrazia, cui si contrappone un'etica dell'esistenza caratterizzata dalla sottomissione della ragione a Dio.

Il terrore della responsabilità.

L'integralismo rifiuta l'autonomia della ragione perché ha orrore della finitezza, e di conseguenza vive l'urgenza panica che il senso dell'esistenza sia irrevocabilmente *fondato* (in Dio). In discussione non è infatti la pretesa che soltanto la religione sappia rispondere alla domanda circa uno scopo nella vita. Questa era anche l'opinione dell'ateo Freud: «Difficilmente potremo sbagliare nel giungere alla seguente conclusione: l'idea di uno scopo della vita sussiste e cade insieme con il sistema religioso» (Sigmund Freud, *Das Unbehagen in der Kultur*, trad. it. *Il disagio della civiltà*, in *Opere*, vol. X, Boringhieri, Torino 1978, p. 568, d'ora in avanti DC). La domanda è invece: perché l'essere del senso (la religione) e non piuttosto il *nulla del senso*, costituito dall'esperienza dell'assurdo e dal riconoscimento dello scarto? Ciò che la modernità revoca in dubbio, nell'orizzonte del disincanto, è appunto la necessità per l'esistenza di un senso già iscritto nel cosmo (nella natura, nella storia) come suo codice genetico, e ciò che in sua vece promuove è la lucidità che in quel *nomos* sa leggere un miraggio. Modernità è un mondo non piú abitato da certezze di senso. Cosa rende intollerabile fissare in volto la nostra umana condizione?

Senza una logica provvidenziale, senza un Dio personale, creatore e redentore, «siamo solo una nube di moscerini inghiottiti dal divenire del tempo» (SD, p. 93).

Dietro l'angoscia per il tracollo dell'antropocentrismo, sempre e solo l'orrore per la finitezza, lo sbigottimento insostenibile della morte. «Attraverso la fede... nessuno può togliermi la vita, anche se mi uccide, perché la mia vita appartiene a Dio» (ivi, p. 123). «Mediante il libero dono di sé... a Dio» (ivi, p. 48), dunque, l'uomo si regala la vita eterna, realizzando nell'immaginazione della fede la piú radicata delle chimere, mettere in scacco la morte. Anche per questo Freud può affermare «che il pio credente è protetto in misura notevole contro il pericolo rappresentato da talune malattie nevrotiche; l'accettazione della nevrosi universale (la religione) lo sottrae al compito di costruirsi una nevrosi individuale» (Sigmund Freud, *Die Zukunft einer Illusion*, trad. it. *L'avvenire di un'illusione*, in *Opere*, vol. X, cit., p. 473, d'ora in avanti AI).

Ma non è solo l'esilio nell'inanità di un universo che nessuno ha apparecchiato per noi, e in esso la condizione di «nato a perir» (Giacomo Leopardi, *La Ginestra*, v. 100), che spinge l'uomo alla consolazione di trasformare in *totalità* dotata di senso le contingenze infinite degli eventi. Anche una esigenza di giustizia fa sentire la sua voce: «E quelli di cui non si sa nulla? Di cui non si saprà mai nulla? Dio solo li conosce» (SD, p. 123), se ne facciamo a meno tutte quelle esistenze sono cancellate. A proclamare Dio, del resto, non è solo un criterio di giustizia *finale*, bensí anche il piú fragile ma irrinunciabile anelito alla giustizia su questa terra. È l'antico tremore rammentato da Dostoevskij, senza Dio è giustificato il disfrenarsi di ogni sopraffazione, oltre la dismisura del marchese de Sade. «Il solo fondamento inattaccabile dei diritti dell'uomo è proprio la creazione divina», altrimenti «tutto si giustifica... i diritti sono negati in nome dei diritti» (ivi, p. 288) e abbiamo visto che lo stesso destino tocca alla democrazia.

Avanziamo qualche interrogativo a basso tenore consolatorio. In assenza di Dio i diritti umani sono artificiosi, e con ciò *esposti*. Ma Dio garantisce la giustizia? Secoli di almanaccare teologico hanno lasciato intatto il macigno irriverente della teodicea. E con Jonas, «dopo Auschwitz possiamo e dobbiamo affermare con estrema decisione che una Divinità onnipotente o è priva di bontà o è totalmente incomprensibile», e per aggirare l'empietà di un Dio cattivo, certamente «l'onnipotenza è l'attributo divino che deve venir abbandonato» (Hans Jonas, *Der Gottesbegriff nach Auschwitz*, trad. it. *Il concetto di Dio dopo Auschwitz*, Il Melangolo, Genova 1990, pp. 34-35). Nulla in realtà ci autorizza a non proiettare sia dopo che prima di Auschwitz questo ragionamento. I curdi *vivono* uno sterminio non diverso, ricorda Marek Edelman, vicecomandante dell'insurrezione del ghetto di Varsavia, e il massacro per fede degli albigesi grida la stessa contraddizione. Ogni *singola* sofferenza e ogni sopraffazione, del resto, intimano l'improponibilità di un Dio al tempo stesso giusto e onnipotente.

È un escamotage quello della giustizia divina *imperscrutabile*, benché il mondo sia un'enciclopedia di iniquità. Le parole hanno solo il *nostro* senso. Una giustizia aggettivata di «imperscrutabile» solo perché l'opposto (oltrettutto indefinibile) di tutto ciò che l'uomo, implorando e inneggiando, invocando e imprecando, ha inteso sotto quel suono, esige un sostantivo inedito che non evochi nessuno dei criteri a noi consueti. Ma un Dio siffatto perderebbe gran parte del suo fascino. Usando la illogica, per cui riaffermiamo come «imperscrutabile» una «giustizia» che contraddice tutte le accezioni di *giustizia*, ci limitiamo ad eludere il problema verbalmente poiché non possiamo sopportarlo psicologicamente.

Questa forse la chiave, allora: un orizzonte privo di senso atterrisce non solo perché carico di solitudine, freddo di finitezza e ricamato dall'erpice della sofferenza, ma anche e soprattutto perché minaccioso di responsabilità. Se l'essere non è impregnato di dover essere in ogni sua fibra, restiamo privi di alibi: siamo noi responsabili della giustizia, ma nel senso estremo e ineludibile, non come custodi della obbedienza alla norma, ma perché *padroni e creatori* del nomos. Siamo capaci di desiderare trasgressione, ma solo finché dentro l'orizzonte tranquillizzante di un Dio che ha deciso la legge o di un irresponsabile destino responsabile al nostro posto. Facciamo invece carte false per evadere dalla condizione esistenziale *prima* e ineludibile che ci costituisce sovrani della norma e del senso. Siamo noi a piantare e innestare il melo del bene e del male. Siamo condannati all'abisso di risponderne solo a noi stessi.

L'onnipotenza è per l'uomo tremore e frustrazione, allora. Tremore, perché dio della norma. Frustrazione, perché quasi dio nel dominio della natura, ma per interposta ipostasi. Non è *ciascuno* di noi, infatti, che supera nella potenza del fuoco e del volo gli antichi dei, ma l'*umanità*, il che non ci riscatta dall'inferno della morte individuale, ma ce la fa pesare una volta di piú. Il delirante desiderio di senso che alimenta la religione, dunque, va messo in conto tanto al dolore di essere individui che nasce dalla finitezza, quanto al panico di essere individui che nasce dal signoreggiare la norma. Due aspetti di una medesima condizione alla quale l'uomo tenta di sottrarsi (con successo, fino a un recentissimo ieri) decidendosi per la stabilità e l'ordine della illusione. Quando la modernità rompe la rotonda mela dell'incanto, diventa necessario il coraggio di puntare piú in alto: a quella infelicità ordinaria che Freud considerava il traguardo raramente attinto di una analisi straordinariamente riuscita. La disperazione può accendere la speranza, ma non può garantire la fondatezza delle sue chimere, benché l'illusione resti la piú incoercibile delle passioni. Un senso iscritto nelle cose non c'è, anche se ne proviamo un drammatico bisogno. Proviamo a lasciare la parola alla scienza.

La roulette della vita.

La contingenza di eventi innovativi altamente improbabili contrassegna tutti i momenti della storia naturale, compresa la comparsa della scimmia nuda produttrice di cultura: «La vita è comparsa sulla Terra: ma *prima di quest'avvenimento...* la sua probabilità era quasi nulla» (Jacques Monod, *Le hasard et la nécessité*, trad. it. *Il caso e la necessità*, Mondadori, Milano 1974, p. 140, d'ora innanzi CN). Perciò, «non solo il mondo vivente potrebbe essere completamente diverso da quello che è, ma potrebbe anche non essere mai esistito» (François Jacob, *La logique du vivant*, trad. it. *La logica del vivente*, Einaudi, Torino 1971, p. 206, d'ora innanzi LV). Di piú. Se «l'universo non stava per partorire la vita» (CN, p. 141) è altrettanto vero che anche la biosfera non era in alcun modo gravida dell'uomo. «Il nostro numero è uscito alla roulette» (*ibid.*) «ma poteva anche non uscire, e comunque il cosmo insondabile che ci circonda non se ne sarebbe affatto preoccupato» (Jacques Monod, *Pour une éthique de la connaissance*, trad. it. *Per un'etica della conoscenza*, Bollati Boringhieri, Torino 1990, p. 92, d'ora innanzi PEDC). L'uomo è superfluo, oltre che improbabile e imprevedibile. Proviamo a raccontarci il contrario perché quasi ogni organo sembra «fatto per», e ogni specie sembra preparare la successiva. Ma è illusione ottica: «la combinazione di alcuni meccanismi semplici può simulare un disegno prestabilito» (François Jacob, *Le jeu des possibles*, Fayard, Paris 1981, p. 32, d'ora in avanti JP).

«Ogni organismo rappresenta la traduzione di un messaggio cifrato scritto nei cromosomi con un alfabeto di quattro radicali chimici» (François Jacob, *Evoluzione e bricolage*, Einaudi, Torino 1978, p. 37, d'ora in avanti EB) che verrà copiato dal piú scrupoloso amanuense: «l'unico fine dell'essere vivente è predisporre un programma identico per la generazione successiva, cioè riprodursi» (LV, p. 10). Quello che sembra la realizzazione di una volontà intenzionale, è invece un mero fatto: fra tante mutazioni una ha trovato l'ambiente favorevole per affarmarsi. «Le modificazioni compaiono solo occasionalmente, senza che nessuno sia in grado di provocarle» (ivi, p. 203), e «solo a cose fatte interviene una scelta, perché ogni nuovo organismo viene subito messo alla prova della riproduzione» (ivi, p. 14). In altri termini: «il destino viene scritto via via che si compie, non prima» (CN, p. 141).

Che la finalità sia interpolata nella natura dal nostro bisogno di una interpretazione rassicurante, lo conferma la circostanza che proprio talune strutture che appaiono «fatte apposta per» sono invece emerse piú volte e secondo modalità diversissime, al di fuori da qualsiasi ipotesi di finalità. «Nel corso dell'evoluzione gli occhi sono comparsi moltissime volte basandosi su tre principî fisici differenti: il buco a spillo, la lente, i tubi multipli. L'occhio a lente, il nostro, si è formato almeno due volte perché lo si ritrova in certi molluschi e nei vertebrati. Nessun occhio assomiglia tanto al nostro quanto quello del polpo» (EB, p. 20). Anche il cervello umano nasce da un curioso assemblaggio di bricolage, che lo rende altamente paradossale e *disadattato*, se davvero dovesse trattarsi del punto culminante della selezione naturale come disegno intenzionale. «Benché il nostro cervello rappresenti il principale momento di adattamento della nostra specie, non si capisce bene a che cosa si sia adattato», visto che «è il risultato di riproduzioni differenziali accumulate nel corso di milioni di anni» (ivi, p. 30).

Non è neppure un organo coerente, poiché «ha ereditato la struttura e l'organizzazione di tre tipi fondamentali: cervello dei rettili, dei mammiferi antichi o primitivi, dei mammiferi recenti o evoluti. Non si sottolineerà mai abbastanza che questi tre tipi fondamentali di cervello presentano fra loro grosse differenze strutturali e chimiche... Nel linguaggio oggi corrente, questi tre cervelli potrebbero essere indicati come elaboratori biologici, ognuno con la sua specifica forma di soggettività e la sua propria intelligenza, il suo senso del tempo e dello spazio, le sue funzioni mnemonica, motoria, e altre» (Paul D. Maclean, *A Triune Concept of the Brain and Behaviour*, trad. it. *Evoluzione del cervello e comportamento umano*, Einaudi, Torino 1984, pp. 5 e 7). Difficile farli coesistere armonicamente, perfino. Mentre «il cervello rettiliano programma comportamenti stereotipati secondo le istruzioni derivate dall'apprendimento ancestrale e da memorie ancestrali» (*ibid.*) ed «è fondamentale per le forme di comportamento stabilite geneticamente (abitazione, territorio, parata, caccia, ritorno alla dimora, accoppiamento, imprinting, gerarchie sociali» (ivi, pp. 7-8), «il sistema limbico che caratterizza i mammiferi antichi è invece preposto alle sensazioni emotive e ai comportamenti che assicurano l'autoconservazione» (ivi, p. 15), di modo che «all'interno dell'uomo sono presenti due animali ben svegli e coscienti ma irrimediabilmente incapaci di esprimersi con il linguaggio» (ivi, p. 20). Nessuno stupore, allora, che «una delle difficoltà attuali sembra risiedere nel fatto che la nostra neocorteccia è completamente sfasata rispetto ai nostri cervelli animali» (ivi, p. 21). Il «nostro secondo organo piú prezioso» (Woody Allen), infatti, «si è formato grazie all'accumulazione di nuove strutture sulle vecchie... un po' come l'installazione di un motore a reazione su un vecchio carretto» (EB, pp. 30 e 31). Siamo un crocevia di complicazioni casuali, altro che finalismo.

«Fine e volontà significano che un'intenzione precede l'azione; che un progetto di adattamento preesiste alla sua realizzazione in strutture. La teoria della selezione naturale consiste precisamente nel capovolgere questa affermazione» (ivi, p. 36). Cosa può farci l'uomo? «Deve disperarsi? Deve rifiutare la scienza che ci impone concezioni di questo genere?» (PEDC, p. 113). Ebbene sí, risponde la chiesa cattolica: proprio per non disperarsi, deve rifiutare la scienza. anche se poi il papa proclama agli scienziati che «la Chiesa fa appello alle vostre capacità di ricerca perché nessun limite venga frapposto alla nostra comune promozione del sapere» (*Il Papa ad un gruppo di scienziati*, «L'Osservatore romano», 9-10 maggio 1983). Sappiamo dov'è la riserva mentale: «le vostre ricerche costituiscono il prolungamento dell'ammirevole rivelazione che Dio ci consegna nella sua opera di creazione», per cui «scienza e fede rappresentano due ordini di conoscenza... convergenti» (*ibid.*).

Scienza contro religione.

Nulla di nuovo, sotto l'oscuro sole dell'integralismo. La scienza, prolungamento dell'ammirevole rivelazione, viene relegata negli alloggi della servitú: ancella della fede e della teologia, come ai bei tempi. La scienza deve semmai ringraziare la fede per i suoi progressi: «L'idea che il mondo è "creatura" di Dio, e dunque linguaggio intelligibile, ha permesso all'astronauta o all'astrofisico di dire come il salmista: "i Cieli cantano la gloria di Dio"» (SD, p. 332). Si sta giocando sull'equivoco, però. Per cominciare, si potrebbe chiedere, con Stephen Hawkins: chi ha creato il creatore?

Lustiger ammette che «rispetto alla conoscenza di Dio e all'accesso a Dio, l'uomo è un paralitico che non può camminare... un muto che non può dire nulla... un cieco che non può vedere, un sordo che non può sentire» (ivi, p. 354), ma pretende contemporaneamente che l'esistenza di Dio valga come «eminentemente razionale» (ivi, p. 194) proprio in quanto «la ragione è chiamata... a dichiarare la propria incompetenza per raggiungere la sua verità piú originale» (ivi, pp. 194-95). Insomma, Dio è razionalmente accertato, poiché la ragione sull'argomento non può dire nulla. Lo scienziato non può regalarsi tanta acrobatica disinvoltura: «la regola del gioco, nella scienza, è non barare, né con le idee né con i fatti» (JP, p. 36). «Per parte nostra non sapremmo deciderci ad ammettere neppure un fatto per noi assolutamente irrilevante, come ad esempio che le balene partoriscono i loro piccoli invece di deporre uova, se esso non risultasse fondato su prove piú attendibili» (AI, p. 457).

Insomma: «Questa dimostrazione razionale *deve* essere possibile» (SD, p. 193, sott. mia) se non vogliamo che «l'uomo sappia infine di essere solo nell'immensità indifferente dell'universo, dal quale è emerso per caso». In tale sventurato caso, infatti, «il suo dovere, proprio come il suo destino, non» sarebbe «scritto da nessuna parte» (CN, p. 172), e sappiamo di cosa sarebbe capace. Un auspicio, un pio desiderio, viene trasformato dall'integralista in fondamento di verità. Dimenticando che se forse è vero che in assenza di Dio siamo solo uno sciame di moscerini, asserendo l'esistenza di Dio ci siamo dimostrati, in suo nome, rapaci e belve in perpetua guerra. «Tutti i

massacri sono stati compiuti... in nome della lotta contro
la verità dell'altro, della lotta contro Satana... Nessun genocidio è ancora stato perpetrato per fare trionfare una
teoria scientifica... Aver contribuito a spezzare l'idea di
una verità eterna e intangibile, costituisce forse uno dei
non minori titoli di gloria dell'approccio scientifico» (JP,
p. 12). Non si è mai torturato e scannato per imporre il
dubbio, infatti, ma sempre ossessionati dalla Verità *una*.

Beninteso: «credere in Dio aiuta a vivere», e non vale
come argomento in contrario quello di Albert Camus, secondo cui «ci vuole piú coraggio a non credere perché
credere in Dio è vile» (SD, p. 124), ma questo perché la
validità di una affermazione non si misura sulle passioni
che la alimentano. Solo sotto questo profilo il coraggio
non ha piú titoli della consolazione. Ma è proprio il cattolicesimo che pretende poi di «dimostrare» Dio attraverso
un *bisogno* emotivo. Nell'opinione del papa polacco, infatti, l'ateismo e il razionalismo illuministico sarebbero
confutati in quanto «negano la contraddizione che l'uomo avverte nel suo cuore tra il desiderio di una pienezza
di bene e la propria inadeguatezza a conseguirlo e, soprattutto, il bisogno di salvezza che ne deriva» (CA, 13). A seguire Wojtyła, un desiderio irrealizzabile *prova* la realtà
della provvidenza, quando è semmai quello *scarto* che
conferma come questo mondo non sia stato apparecchiato per noi, ma nasca dal caos di uno sconnesso bricolage.
Non un pregiudizio, ma la piú sobria onestà intellettuale,
allora, impone di considerare la religione *oppio*: «un sistema d'illusioni desiderative (accompagnate da rinnega-
mento della realtà) simili a quelle che, in forma isolata,
troviamo soltanto nell'amenza, uno stato di beata confusione di natura allucinatoria» (AI, p. 473).

Le spiegazioni della psicanalisi e della scienza conver-
gono. L'uomo, proprio quanto piú nota che i fenomeni

naturali si sviluppano da soli in base a necessità interne, tanto piú energicamente si costruisce un Dio che lo risarcisca per le sofferenze e le privazioni imposte dalla civile convivenza. « Una delle principali funzioni dei miti è sempre stata di aiutare gli esseri umani a sopportare l'angoscia e l'assurdità della loro condizione» (JP, p. 29). Esorcizzare, riconciliare, risarcire, tre *bisogni* realmente potenti, che spiegano ad abundantiam perché le argomentazioni razionali nulla possano contro le pulsioni della fede, e i risultati della scienza siano inefficaci contro la coazione a credere. *Quia absurdum*, magari. Del resto, non può meravigliare che « le illusioni» cioè le rappresentazioni religiose, costituiscano « la parte forse piú importante dell'inventario psichico di una civiltà» (AI, p. 444), visto che « la scala 1 : 50 000 può essere all'incirca quella secondo cui il destino adempie i nostri desideri» (Sigmund Freud, *Psicanalisi e fede – carteggio col pastore Pfister*, Boringhieri, Torino 1970, p. 23). La vita è per l'individuo una costante menomazione del narcisismo naturale (AI, p. 446), un compendio di rinunce pulsionali, e la civiltà le accentua (ivi, p. 440) con le restrizioni e lo scacco imposti al principio di piacere. La religione è una strategia di fuga per esorcizzare i terrori della natura, e Dio si spiega con la sofferenza della condizione umana, terremoti, inondazioni, tempeste, malattie, e l'enigma doloroso della morte.

Oskar Pfister è un pastore protestante entusiasta della psicanalisi e di Freud fino alla devozione. Pure, di fronte a *L'avvenire di un'illusione* e al suo ateismo che pensa il mondo senza «templi e religione», scrive al maestro: «Non capisco bene la Sua immagine della vita... Se facesse parte della cura psicoanalitica presentare ai pazienti questo mondo devastato come la suprema conoscenza della verità, capirei assai bene che quei poveretti preferiscano rifugiarsi nella prigione della loro malattia piuttosto che entrare in questo orrido deserto di ghiaccio» (*Psica-nalisi e fede*, cit. p. 115). Il disincanto è invece per Freud l'opposto di un orrido deserto di ghiaccio, è «un tesoro che può arricchire la civiltà», al punto «che vale la pena di tentare un'educazione *irreligiosa*» (AI, p. 477, sott. mia).

L'evoluzione addomesticata.

Rovesciamo il luogo comune, perciò. La nostra epoca vede tutt'altro che il *trionfo* della scienza, di quella «ragione tecnica» tanto invisa a Lustiger (SD, p. 196). È vero che utilizziamo i risultati pratici della scienza, ma con l'animo colmo di risentimento e ostilità verso «quest'idea fredda e austera» (CN, p. 162) che ci ha cacciati dall'eden ideologico di una posizione privilegiata in seno al cosmo e alla storia della natura. Contro questo esilio forzato, l'uomo elabora immediatamente e puntualmente una *ermeneutica dell'addomesticamento*, che tramite un piú sofisticato antropocentrismo lo restauri centro e vertice del creato, e che converta la smentita pronunciata dalla scienza in una ennesima e piú incalzante «dimostrazione» della religione. Cosí con Galileo l'altro ieri (benché la sua riabilitazione ufficiale da parte della chiesa risalga a *oggi*, con arroganza di applausi assolutamente fuori luogo, come fosse merito inestimabile avere aspettato tre secoli e mezzo per porre termine a un'impagabile ignominia oscurantista), cosí con Darwin ieri e ancor oggi.

La teoria dell'evoluzione, infatti, sarà reinterpretata in funzione di mito (JP, p. 46), anche se «ciò che separa in modo radicale l'evoluzionismo di Darwin e di Wallace da tutto il pensiero precedente» sia proprio «la nozione di contingenza applicata agli esseri viventi» (LV, p. 185), e malgrado il merito definitivo di Darwin resti quello di aver «eliminato la finalità del mondo vivente, la vecchia teleologia aristotelica» (EB, p. 40). Ma esattamente questa viene invece ripristinata dagli arcangeli post darwiniani di una nuova alleanza animistica fra l'uomo e la natura, si chiamino Teilhard de Chardin, Spencer, Engels. Repliche religiose o atee di un medesimo bisogno di *credere*. «Per dare un senso alla Natura, perché l'uomo non sia separato da essa da un insondabile abisso, per renderla infine decifrabile e intelligibile... si inserisce in essa una "forza" evolutiva ascendente, il che coincide, di fatto, con l'abbandono del postulato di oggettività» (CN, pp. 42-43), benché «l'oggettività *assoluta* della natura è il postulato essenziale del metodo scientifico» (PEDC, p. 90). Si perpetua, in tal modo, «l'atteggiamento fondamentale dell'animismo» che «consiste nel proiettare nella natura inanimata la coscienza che l'uomo possiede del funzionamento intensamente teleonomico del proprio sistema nervoso centrale» (CN, p. 40).

Un atteggiamento difficile da sradicare. Infatti «l'uomo è l'unico animale altamente sociale il cui codice di comportamento è in gran parte trasmesso per via culturale anziché per via genetica» (PEDC, p. 88), e la cultura deve dunque assicurare quelle prestazioni e quelle funzioni sociali che Dna e istinto garantiscono ai nostri progenitori zoologici. La religione costituirà allora il surrogato dell'istinto, in vista di assicurare la coesione assoluta nel trascorrere dei tempi. Religione è qui intesa «nella sua essenza stessa» quale si presenta nelle società primitive che ancora non conoscono lo Stato (Marcel Gauchet, *Le désenchantement du monde*, Gallimard, Paris 1985, p. VIII, trad. it. *Il disincanto del mondo*, Einaudi 1992. Nelle successive citazioni, DM), e la cui funzione simbolico-sociale si manterrà anche nelle grandi religioni dell'epoca assiale, ma in forma indebolita, fino al suo contraddittorio esaurirsi nella modernità. La norma sociale fa tutt'uno con quella naturale, ed entrambe si identificano con quella religiosa, intanto. Ma religione significa soprattutto che quella fonte di ogni senso è posta in una alterità radicale talmente intangibile che nessuno, individuo o gruppo, «può pretendere di ergersi a garante di questo ordine, omologo all'ordine sovrannaturale della natura e da esso derivato, come pure di arrogarsi la competenza per modificarlo» (Marcel Gauchet, *Politique et societé: la leçon des Sauvages*, in «Texture» 10/11, 1975, p. 71).

Dunque: la religione è «instaurazione di un rapporto di espropriazione tra l'universo dei viventi-visibili e il suo fondamento» (Gauchet, DM, p. 11), è la «forma in cui si traduce socialmente e si materializza un rapporto di negatività dell'uomo sociale con se stesso... un modo di istituzionalizzare *l'uomo contro se stesso*» (ivi, p. 10), ma in quanto ciò istituisce la piú rigorosa eguaglianza, quella della universale indisponibilità del potere, della mancanza di potere di ciascuno verso l'altro, perché di *chiunque* rispetto alla fonte di senso. Eguaglianza estrema dell'autonomia negata, che assicura però coesione e stabilità. «La proprietà essenziale della società primitiva è quella di esercitare un potere assoluto e completo su tutto ciò che la compone, di impedire l'autonomia di uno qulasiasi dei sotto-insiemi che la costituiscono, di mantenere tutti i movimenti interni, consci e inconsci, che nutrono la vita sociale, nei limiti e nella direzione voluti dalla società» che, di conseguenza, «dovrebbe riprodursi eternamente senza che nulla di sostanziale la tocchi attraverso i tempi» (Pierre Clastres, *La societé contre l'État*, Editions du Minuit, Paris 1974, pp. 180 e 181).

Diventa ora decifrabile la contrattazione fra costi e benefici di questo do ut des inaugurale. «L'assoluta riverenza per un ordine di cose concepito come radicalmente sottratto alla vostra presa, ma in cambio l'assicurazione di un posto assolutamente stabile in seno a questo universo [naturale e sociale!] determinato d'altrove, la garanzia di un accordo intangibile con una Legge bensí integralmente ricevuta, ma simultaneamente sposata nella sua integralità come la migliore possibile» (DM, p. VIII). «Sistema dell'espropriazione, dell'eredità, dell'immutabile» (ivi, p. XV), che regala eguaglianza, coesione, stabilità, e soprattutto «*spiega* l'uomo, assegnandogli un posto in un destino immanente, in seno al quale *la sua angoscia si dissolve*» (CN, p. 159, sott. mia). «L'invenzione dei miti e delle religioni, la costruzione di vasti sistemi filosofici, sono il prezzo che l'uomo ha dovuto pagare per sopravvivere in quanto animale sociale senza piegarsi a un mero automatismo» (ivi, pp. 160-61).

Per questo tutti i codici culturali, anche quando cominciano a mutare secondo ritmi che l'evoluzione genetica o biologica non può neppure immaginare, garantendo con ciò alla specie della scimmia nuda un successo ineguagliato, hanno tenuto, e ancora cercano, di tener ferma l'idea che «una qualche fondazione del sistema dei valori doveva pur esistere, che sfuggiva a qualsiasi mutamento e che era possibile trovarla e riconoscerla» (PEDC, pp. 88-89). Questi sistemi, per diversi che siano, hanno un'analoga struttura logica, quella del *cognitivismo etico*, perché adempiono alla stessa funzione psicologica e sociale: garantire l'identità del senso, assegnando all'uomo la norma e consegnandogli con ciò i tempi e l'eternità del cosmo.

La menzogna del cognitivismo etico.

Perciò, a differenza di quanto ci vuole far credere tutta la critica heideggeriana della modernità, compresa la versione nobilmente progressista alla Jonas, «la conseguenza piú importante, piú profonda e piú inquietante (per molti la piú terrificante) dei progressi della scienza non è la rivoluzione industriale e tecnica, ma la tormentosa revisione che la scienza impone all'uomo delle concezioni piú profondamente radicate che egli ha di se stesso e del suo rapporto con l'universo» (ivi, p. 86). La scienza distrugge la speranza che *Altri* abbia deciso il *nomos*, e a noi competa solo di obbedirlo. «La scienza ignora i valori; la concezione dell'universo che oggi essa ci impone non contiene nessun tipo di etica» (ivi, p. 113) e «i processi naturali sono sprovvisti di ogni valore morale» (JP, p. 47).

Esattamente quanto li rende disponibili ad ogni manipolazione: poiché i fatti sono moralmente muti, si può interpolare fra essi, come se ne scaturisse, il dover essere che si preferisce. Tanto, non possono ribellarsi né smentire. Per questo il primo irrinunciabile comandamento della scienza è di mettere al bando ogni confusione fra conoscenza e valori (CN, p. 168). Il piú intransigente *non cognitivismo etico*. Dove circola cognitivismo etico, infatti, la scienza è senza scampo negata, irrisa, aggirata. La grande divisione è dunque fra la lucidità del disincanto con la sua etica rigorosamente non cognitivista, che riconosce i valori come prodotti e scelti, e le infinite ideologie per le quali i valori e l'etica sono invece pronunciate dal Dio o dalle ipostasi che ne sono un surrogato (Spirito, Natura, Storia, Ragione, Essere). Bisogna, invece, «che si prenda coscienza della singolarità dell'uomo nel cosmo, della sua assoluta solitudine... al di fuori di lui non ci sono, e non possono esserci, nessuna fonte e nessun criterio divini, storici o naturali per i suoi valori. Lui soltanto li crea, li definisce, li plasma» (PEDC, p. 94).

La grande menzogna della nostra epoca è perciò il cognitivismo etico come «scoraggiante miscellanea di religiosità giudeo-cristiana, di progressismo scientistico, di fede in alcuni diritti "naturali" dell'uomo, e di pragmatismo utilitaristico» (CN, p. 164), che promuove un autentico «odio nei confronti della cultura scientifica» (*ibid*). «La paura è quella del sacrilegio: dell'attentato ai valori. Paura totalmente giustificata. È vero che la scienza... distrugge tutte le ontogenie mitiche o filosofiche su cui la tradizione animistica, dagli aborigeni australiani ai dialettici materialisti, ha fondato i valori, la morale, i doveri, i diritti, le interdizioni» (ivi, p. 165). Se la scienza ha una parola da dire in fatto di etica, è solo nel senso che «ai biologi è assegnato il compito di spiegare come gli esseri umani, nel corso dell'evoluzione, hanno acquisito la capacità di avere credenze morali [di produrle, più esattamente]. Ma ciò non si applica affatto ai *contenuti* di queste credenze» (JP, p. 48). A questo punto siamo anche in grado di stabilire cosa sia un discorso autentico: quello che tiene separati giudizio scientifico e giudizio di valore, come ambiti impermeabili (CN, p. 167). Inautentica ogni commistione, confusione, scambio. *Spaccio*, poiché di oppio si tratta.

Si può perfino azzardare una spiegazione della reazione sistematica, virulenta, ossessiva contro il disincanto, in termini di selezione darwiniana. Con il passaggio dalla natura alla cultura, l'evoluzione ha infatti dato vita ad un autentico *monstrum*: il disincanto accresce in maniera inaudita, per via di scienza, la potenza delle prestazioni tecniche dell'uomo, oltre Icaro e Vulcano, e quindi garantisce all'homo sapiens una superiorità che lo mette al riparo dalla concorrenza di altre specie. Ma i gruppi umani, per non essere deboli, hanno avuto necessità di esorcizzare paure e morte, e nella loro evoluzione hanno inventato infinite maniere per farlo: «le culture sono in fondo altrettanti modi di affrontare la domanda circa il senso» (CA, 24), cioè di praticare tale esorcismo. Il disincanto, diffondendo la scepsi, colpisce il sostegno di certezze che religioni, filosofie e altri animismi, hanno assicurato al bisogno di rassicurazioni, identità, coesione, che ha decretato il successo della scimmia nuda. La scienza, sotto questo profilo, è un bizzarro incidente, un handicap. Conquisterà il pianeta, per conto dell'uomo, grazie al successo (tutt'altro che previsto) delle sue conseguenze tecniche.

Ma non conquista ancora le anime. E oggi è questo rifiuto del disincanto, questa incoerenza rispetto alla scienza, a diventare incombente debolezza. «Le società moderne, che sono intessute di scienza, che vivono dei suoi prodotti, dipendono ormai da essa come un intossicato dalla droga. Devono la loro potenza materiale a quest'etica fondatrice della conoscenza e la loro debolezza morale ai sistemi di valori, distrutti dalla conoscenza stessa e ai quali esse tentano ancora di riferirsi. Questa contraddizione è fatale» (CN, p. 169). Tanto piú si è costretti ad usarla, e tanto piú la si detesta. Laddove oggi l'incantamento premoderno dell'antiscepsi celebra i suoi fasti, nell'integralismo e nel fondamentalismo, si adorano i prodotti della scienza ma si demonizza e oltraggia senza riserve lo spirito scientifico. Si assemblano i chips dell'elettronica, protetti dal chador delle certezze.

Burgess Shale.

Ripercorriamo il conflitto fra pulsione antropocentrica e disincanto scientifico, riassumendo la straordinaria vicenda di *Burgess Shale*. Una storia che è accaduta due volte, vedremo. A raccontarla è Stephen Jay Gould, in uno dei piú bei classici della divulgazione scientifica, *La vita meravigliosa* (Feltrinelli, Milano 1990, tutte le citazioni che seguono sono riferite a tale volume). Che saccheggeremo.

Lo scisti argillifero di Burgess si trova a circa 2500 metri di altezza sulle Montagne rocciose, e contiene il piú importante giacimento fossilifero fin qui scoperto. I numerosissimi e bizzarri organismi vengono presentati, dal depliant illustrativo del museo che oggi li conserva, come «vicoli ciechi dell'evoluzione, destinati a essere sostituiti da organismi meglio adattati e piú efficienti» (p. 240). Una definizione che rispecchia la concezione tradizionale dell'evoluzione, dove novità in senso cronologico significa anche miglioramento e progresso. L'iconografia tuttora diffusa della storia della natura rispecchia questa *vulgata*. Due le metafore fuorvianti: la scala, che mostra una sequenza progressiva dall'inferiore al superiore, in termini di efficienza, complessità, abilità, adattabilità, prestazioni competitive, con l'intelligenza umana a rappresentare il compimento e culmine di tale processo. E l'albero dell'evoluzione a forma di cono rovesciato, che sottolinea differenziazione e gradualità nel processo: «i rami crescono sempre verso l'alto e verso l'esterno, di tanto in tanto sdoppiandosi. Le prime estinzioni possono eliminare solo piccoli rami in prossimità del tronco centrale» (p. 35).

Ogni passo prepara il successivo, ne è quasi presagio, lo contiene in nuce. Il cono rovesciato implica uno sviluppo dal meno al piú, dall'ameba all'uomo, oltrettutto *prevedibile*, e vellica con ciò il nostro bisogno di finalismo. Lo spietato umorismo di Mark Twain centra il bersaglio: «Se la torre Eiffel rappresentasse l'età del mondo, lo spessore della vernice sul pinnacolo al suo vertice rappresenterebbe la durata relativa dell'esistenza dell'uomo; e chiunque percepirebbe che quel sottile strato di vernice è lo scopo per cui fu costruita la torre» (p. 41).

È proprio questo idillio fustigato da Twain che lo scisti di Burgess manda definitivamente in frantumi. Fissiamo qualche nozione essenziale. Le tassonomie moderne riconoscono sette livelli di inclusione decrescente: dal regno alla specie, passando per phylum, classe, ordine, famiglia, genere. Un tempo si parlava di regno animale e vegetale, oggi si distinguono cinque *regni*: Piante, Animali, Funghi, Protista (o Protocista) e Monera. Ogni regno si distingue a sua volta in differenti phyla. Nel regno animale i piú importanti sono le spugne, i celenterati, gli anellidi, gli artropodi, i molluschi, gli echinodermi, e i cordati. Ogni phylum si distingue per un peculiare e inconfondibile *piano anatomico*. Oggi la terra contiene tra i venti e trenta phyla animali (i criteri tassonomici lasciano qualche spazio a interpretazioni divergenti). La nostra, comunque, non è l'epoca dei mammiferi (che appartengono ai cordati), bensí degli artropodi (divisi in unirami, chelicerati, crostacei, trilobiti), che costituiscono l'80 % circa di tutte le specie animali classificate (in grande maggioranza insetti).

La cava di Burgess, non piú ampia di un isolato di case, contiene una disparità di piani anatomici che supera di gran lunga la varietà moderna in tutto il mondo (p. 61). Tutte le scoperte successive confermano: in un istante geologico prossimo alla fine del Cambriano, fecero la loro apparizione quasi tutti i phyla moderni, assieme a una serie ancora maggiore di esperimenti anatomici che non sopravvissero. Nei successivi 500 milioni di anni non emerse alcun nuovo phylum, ma solo variazioni su piani anatomici già ben affermati (p. 62).

Questo significa che l'evoluzione non presenta uno sviluppo continuo e graduale, ma procede per improvvise esplosioni di forme differenti, seguite da brevi episodi di estinzioni di massa e dalla successiva differenziazione all'interno dei pochi ceppi sopravvissuti. Che la storia della vita proceda a strappi non riguarda, del resto, solo il periodo documentato dallo scisti di Burgess, ma è piuttosto la regola generale. La terra risale a 4,5 miliardi di anni fa. Le rocce di Isua, in Groenlandia (3,75 miliardi di anni) conservano tracce chimiche di attività organica, e in altri sedimenti databili 3,5 - 3,6 miliardi di anni sono stati trovati sia stromatoliti sia vere cellule. Ma per quasi 2 miliardi e mezzo di anni dopo le manifestazioni organiche rintracciate a Isua, ossia per quasi i due terzi dell'intera storia della vita, tutte le creature furono esclusivamente organismi unicellulari del tipo piú semplice, i Procarioti, con cellule prive di organelli, nuclei, cromosomi appaiati, mitocondri, cloroplasti (p. 56). Solo 1,4 miliardi di anni fa, infatti, compaiono gli Eucarioti, unicellulari ma con cellula complessa.

Ma sulla loro scia non fanno trionfale comparsa gli organismi pluricellulari, per i quali bisognerà aspettare fino all'esplosione del Cambriano, 570 milioni di anni fa. Del resto, anche i cento milioni di anni (o poco piú) del periodo precedente, il Precambriano, presentano nuovi rompicapi. In quello spazio di tempo (geologicamente un ammiccare di ciglia), si susseguono tre universi zoologici radicalmente diversi: la fauna di Ediacara (700 milioni di anni fa), grandi organismi pluricellulari a forma di frittella che *non* sono i progenitori delle creature pluricellulari del cambriano. Le minuscole coppette e capsule del Tommotiano, un autentico rebus che potrebbe testimoniare di un altro esperimento evolutivo fallito. E infine la grande varietà di esseri pluricellulari con parti dure, prodotta dall'esplosione del Cambriano, e di cui la fauna di Burgess (530 milioni di anni fa) è testimonianza appena piú tarda, quando l'intera gamma dei risultati era visibile, e prima che la falce dell'estinzione avesse largamente mietuto.

Da allora, mezzo miliardo di anni carico di avventure

biologiche straordinarie, fino a homo sapiens, ma non un singolo nuovo phylum o piano anatomico fondamentale si è aggiunto alla serie di Burgess. (pp. 57-58). Se si esaminano i particolari, perciò, diventa impossibile leggere la vicenda della vita come una sequenza lineare di graduale e prevedibile progresso, di lento e continuo accrescimento della complessità. Conosciamo, invece, la regola che Burgess ha messo analiticamente in evidenza: esplosione di forme, decimazione radicale, differenziazione dei pochi piani di vita sopravvissuti.

Chi sopravviverà? L'organismo *migliore* per capacità di adattamento ambientale. E cosa dimostra questo migliore adattamento? La sopravvivenza. Inammissibile tautologia, argomento circolare. Darwin era perfettamente consapevole della necessità di spiegare il superiore adattamento in modo indipendente e prima di conoscere i risultati della selezione, analizzando forma, fisiologia e comportamento degli organismi in competizione. La sopravvivenza è una previsione da verificare, non una definizione dell'adattamento.

Evoluzione come lotteria.

Torniamo a Burgess e alla sua fauna da incubo (un nome per tutti, *Hallucigenia*), che neppure il delirio geniale di Jeronimus Bosch avrebbe saputo immaginare in tutta la sua ossessionante bizzaria. Il piú grande predatore di Burgess, *Anomalocaris*, non è fra gli eletti. E chi avrebbe invece scommesso che *Aysheaia*, con i suoi lenti movimenti attorno a colonie di spugne, sarebbe stato il progenitore dei conquistatori delle terre emerse, i miriapodi e gli insetti (pp. 242-43)? Le ragioni della sopravvivenza nei brevi periodi delle decimazioni di massa sono qualitativamente diverse dalle cause di successo nei tempi normali (p. 315). Caratteri che hanno assicurato la prosperità in periodi normali possono ora assumere il lugubre suono della campana a morte, mentre altri prima irrilevanti o addirittura sfavorevoli possono divenire la chiave della sopravvivenza (p. 317). 65 milioni di anni fa, nel tardo Cretacico, al confine tra Mesozoico e Cenozoico, la decimazione piú famosa, nella quale periscono i dinosauri, è legata alle conseguenze del precipitare di un grande meteorite (p. 287). I mammiferi probabilmente sopravvivono per una qualità, la piccola dimensione, che fino ad allora aveva costituito la loro debolezza, il loro handicap nei confronti di quei vertebrati giganti. Mandiamo la stella cometa del Cretacico in un'orbita innocua, e i dinosauri continueranno a dominare la terra (*ibid.*), impedendo l'evoluzione dei mammiferi, fino ai lettori, agli editori e ai saggisti.

In altri termini. Nella selezione naturale è il caso che lavora e falcia, secondo logiche impredittibili, per periodi brevi e dalle conseguenze micidiali. Nulla nel patrimonio genetico predispone gli organismi a variare in direzioni adattative (p. 232). Se si riavvolge il nastro della storia della vita, ogni replica condurrà l'evoluzione lungo sentieri inesplorati, poiché ogni sopravvivenza nei momenti cruciali delle decimazioni di massa è il risultato di una *lotteria*. Esistono almeno sette scenari plausibili di storie della vita radicalmente alternative, che non avrebbero messo capo alla scimmia nuda che siamo (pp. 319-30).

1) Per due miliardi di anni vissero solo cellule procariotiche, poi per oltre ottocento milioni solo cellule eucariotiche. Ma fra cinque miliardi di anni il nostro Sole è destinato a esplodere. Immaginiamo stasi biologiche appena un po' piú lunghe, e la terra sarebbe destinata a scomparire senza andare oltre i primi mitocondri. 2) I tappeti di cellule di Ediacara, tradizionalmente interpretati come

progenitori dei celenterati, vengono oggi considerati un probabile esperimento del tutto distinto. Se avessero prevalso, al posto dei metazoi e dei vermi, l'evoluzione non avrebbe prodotto organi interni, ma avrebbe in permanenza conosciuto animali a forma di grandi fogli, nastri, frittelle: assai poco propizi a realizzare quella complessità che ha portato ad un organismo dotato di autocoscienza. 3) La prima fauna con parti dure del Tommotiano è caratterizzata dagli *archeociatidi*, oggi situati in un phylum a parte, scomparso prima della fine del Cambriano. E se avessero prevalso loro? 4) La fauna di Burgess ci presenta venti piani anatomici di artropodi, oltre ai quattro già noti (Trilobita, Crustacea, Uniramia e Chelicerata) e almeno otto piani anatomici (*Opabinia*, *Nectocaris*, *Odontogriphus*, *Dinomischus*, *Amiskwia*, *Hallucigenia*, *Wiwaxia*, *Anomalocaris*) che addirittura non rientrano in alcun phylum noto. Lo abbiamo già notato: ne sarebbe scaturito un mondo che neppure la sfrenata fantasia panica di Bosch poteva presentire. 5) Nella cruciale transizione della vita dall'acqua alla terraferma, l'evoluzione delle pinne in arti avviene solo in un ristretto gruppo di pesci, i dipnoi-celacanti- ripidisti. Una loro possibilissima estinzione, e le terre emerse diventano dominio incontrastato di fiori e insetti. 6) Dei mammiferi abbiamo già detto. E infine. Anche homo sapiens nasce come entità improbabile e fragile, a partire da una popolazione piccola e coerente che si staccò da una linea progenitrice in un ristretto sito dell'Africa. Altre linee collaterali di ominidi si estinsero, e nulla dice che avrebbero sviluppato le capacità di ragionamento astratto che identifica la nostra specie. La quale, a sua volta, avrebbe potuto estinguersi precocemente.

Che la *contingenza* domini la storia naturale è confermato da un caso in cui la competizione si è ripetuta con esiti opposti. Che alla scomparsa dei dinosauri dovessero prevalere i mammiferi, fra i carnivori, non era scritto. Un gigantesco uccello predatore del Neocenico, *Diatryma gigantea*, fu un competitore pericoloso benché infine sconfitto. Ma in Sudamerica lo scontro fu ripetuto, fra contendenti poi entrambi estinti: e i giganteschi uccelli carnivori corridori *fororacidi* prevalsero sui mammiferi *borienidi* (pp. 305-8). E per concludere. A Burgess è stato trovato un fossile di 5 cm, *Pikaia gracilens*, che 530 milioni di anni fa qualsiasi allibratore dell'epoca avrebbe dato perdente. Ma è l'unico *Cordato* di quello scisti: se non fosse sopravvissuto saremmo stati tutti cancellati dalla storia futura, dallo squalo al pettirosso all'orango (p. 334).

Lo scisti di Burgess ci conferma dunque il messaggio privo di consolazioni: nessun finalismo nella natura. Homo sapiens è un «ripensamento» nella storia del cosmo (p. 40), un evento sfrenatamente improbabile (p. 300), come già sapeva Darwin: «dopo aver riflettuto a lungo, non posso evitare la convinzione che non esista alcuna tendenza innata a sviluppi progressivi» p. 264). Siamo usciti alla roulette di «un universo indifferente alla nostra sofferenza» (p. 334), ma appunto questo ci rende liberi e responsabili.

Altrettanto importanti sono in proposito gli insegnamenti della *seconda* storia di Burgess. I risultati che abbiamo piú sopra sommariamente richiamato sono opera di Harry Whittington, Simon Conway e Derek Briggs, e datano alla metà degli anni settanta. Ma la scoperta di Burgess viene compiuta nel 1909 da Charles Doolittle Walcott, una autorità indiscussa nel campo, che raccolse in numerosi periodi di scavi ben ottantamila [1] reperti fossili. Ma Walcott, malgrado le evidenti incongruenze e bizzarrie, li interpretò tutti quali appartenenti a phyla oggi an-

---

[1] La traduzione italiana, anche in questo non esemplare, scrive «ottomila».

cora esistenti. Precursori, insomma. Inserendoli a forza nelle classificazioni note. Il rigore e l'onestà intellettuale erano fuori di dubbio, e ciò rende ancora piú significativa la cecità indotta in Walcott dal pregiudizio antropocentrico religioso.

Uomo di fede, ma insieme di fede nella scienza, Walcott si oppose con intransigenza alla crociata del fondamentalista Bryan, che voleva impedire l'insegnamento del darwinismo nelle scuole (tesi legalmente sconfitta con una sentenza della Corte suprema nel 1987!). Nel 1923 fu il promotore di un manifesto di scienziati che difendeva i diritti del darwinismo, ma in nome della convergenza fra verità scientifica e verità rivelata. L'evoluzione mediante lotteria non poteva neppure venire alla mente di chi riteneva di leggere nella storia della vita la benevolenza della volontà di Dio che prepara l'ingresso di homo sapiens nel cosmo. E mezzo secolo piú tardi, tre paleontologi geniali avrebbero comunque faticato a liberarsi dall'interpretazione standard, malgrado lo studio analitico dei fossili di *Marrella splendens*, *Yohoia*, e *Opabinia* ne dimostrassero progressivamente l'insostenibilità.

Il monopolio dell'ermeneutica.

Tiriamo le somme. Lo spirito religioso si adatta ad ogni nuova scoperta, dopo averla demonizzata di anatema. Rettifica, riscrive, reinterpreta. Cosí, non sorprendiamoci se anche la *improbabilità* della nostra esistenza dovesse trasformarsi domani in una «testimonianza» del finalismo provvidenziale, dopo essere stata negata, occultata, rimossa in tutte le versioni immaginabili. La logica clericale macina ogni contraddizione e annulla la rimozione di ieri, ormai inservibile, con nuove piú sofisticate rimozio-

ni. L'integralismo può persino regalarsi l'arroganza (ab-
bondantemente *post factum*, però) di ringraziare la scienza per aver messo in luce, attraverso una scoperta o una
nuova teoria, qualcosa che «era già contenuto» nella rivelazione, e che gli esegeti non avevano visto, perché figli
dei loro tempi. Quella medesima scoperta che era stata in
precedenza bollata *infallibilmente* di eresia, con tanto di
carcere, censura e roghi (non solo di libri).

Questa capacità di metabolizzare ogni smentita costituisce il segreto della chiesa gerarchica: affermando con la
stessa dogmaticità l'opposto di quanto sostenuto in precedenza, il soglio pontificio non vede barcollare la propria autorità, ma rafforzarsi, poiché mutevoli e contrad-
dittorie affermazioni vengono pronunciate come inesauribile «aggiornamento» di un *sempiternum verum* che conosce un unico interprete autorizzato. Se non sapesse
adattare in permanenza la Verità, smentendo smaccata-
mente quanto in precedenza dogmatizzato, la chiesa ne
perderebbe il preteso monopolio. Questa è perciò la differenza specifica del cattolicesimo romano, la sua *essenza*,
rispetto agli altri cristianesimi: l'istituzione di un'autorità
gerarchica a garanzia del *monopolio dell'ermeneutica*.
«Anche lo spirito critico deve avere i suoi giusti limiti»,
infatti. Li supera, se «non rivela la verità, l'amore e la gratitudine per la grazia, di cui principalmente e pienamente
diventiamo partecipi proprio nella Chiesa e mediante la
Chiesa» (RH, p. 1834). Se non è *spirito di obbedienza* alla
mutevole verità vaticana.

Sia chiaro. La pretesa della chiesa alla verità è *ovvia*, e
sarebbe piuttosto sconcertante il contrario. Nessuno
chiede che la religione di un papa ex cathedra infallibile si
trasformi in un alambicco di dubbi. Ciò che invece ferma-
mente si può esigere, è proprio che una intransigente (e
canonicamente comprensibilissima) istanza di obbedien-

za, non venga spacciata come esercizio supremo di spirito critico e di libertà di coscienza. Come il culmine autocritico dell'Occidente per uscire dalla crisi, magari. Si faccia attenzione, però, perché proprio questo è il miracolo che Giovanni Paolo II vorrebbe fosse sottoscritto. Quella di Wojtyła, infatti, non è solo una scomunica globale del mondo moderno, un rinnovato Sillabo. Mentre l'anatema di Giovanni Maria Mastai Ferretti proclamava irriconciliabile ostilità e contrapposizione al secolo, il papa polacco intende piuttosto addomesticare la scienza e i diritti umani, nati dalla finitezza e dal disincanto, chiamandoli in soccorso della fede, facendone un inedito strumento *contro* la modernità. Sono i valori concorrenziali che la secolarizzazione può opporre alla fede. Wojtyła vuole dunque annetterli alla religione, anziché respingerli. Di piú: intende persuadere che il suo catalogo costantemente aggiornato e puntiglioso di anatemi contro la modernità laica ne costituisce l'esito critico estremo e piú coerente, il culmine della coscienza post moderna. Vuole dimostrare che senza questa *Santa acquisizione* la modernità stessa perderebbe virtú e fondamento.

C'è una sola storia, della natura e degli uomini, ma abbiamo constatato come «ci sono molti modi di vederla e di viverla» e anche (Burgess docet) di rimuoverne le lezioni. «Quella che prende il nome di storia umana è la storia cosí come gli uomini la vedono». La storia santa è fattualmente la stessa, ma «come Dio la vede e la fa con gli uomini» (SD, p. 467). L'empiria rimane tale e quale, ma viene battezzata diversamente: razionale da Hegel, santa da Lustiger e Wojtyła. «La speranza cristiana ci assicura che la salvezza già data è sempre all'opera, anche in quel peggio che l'uomo può ancora commettere [dopo Auschwitz e Kolyma!] e di cui la rivelazione di Dio ci ha fatto scoprire l'abisso» (ivi, p. 466). Il peggio *sembra* male, ma è «imperscrutabile giustizia». Il disincanto propone un orizzonte piú impegnativo. «Quale ideale proporre agli uomini d'oggi, che sia al di sopra e al di là di loro stessi, se non la riconquista, mediante la conoscenza, del nulla che essi stessi hanno scoperto?» (PEDC, p. 115). Proprio perché il mondo non è stato apparecchiato per noi, possiamo *scegliere* di introdurvi un po' di giustizia. E provarci.

Capitolo settimo

Il conformismo della differenza

Dalla caverna non si esce in massa ma solo uno per uno.

NICOLA CHIAROMONTE

Con il disincanto la differenza viene non solo legittimata, ma resa irrinunciabile e *costitutiva* della sociale convivenza. L'elogio della differenza si chiama infatti *modernità*. I fondamentalismi, d'altro canto, fanno della differenza la propria bandiera, e pretendono con ciò di respingere come pregiudizio occidentale l'accusa di essere nemici della modernità. Vogliono anzi *salvarla* da se stessa, e sottrarla alla disumanizzazione che la minaccia, liberandola dalla eredità dei lumi e dal suo seguito sinistro di sradicamento, relativismo, nichilismo, universalizzazione di rapporti anonimi.

Un paradosso di facile soluzione. I fondamentalismi assumono bensì radicalmente la differenza come valore, infatti, ma in quanto differenza delle comunità, dei popoli, delle culture, delle loro radici religiose, soprattutto. *Identità radicate*, dunque, anziché *differenze radicali*. Sotto questo profilo, che è poi quello decisivo, il fondamentalismo è solo il custode estremo della comunità, dei soggetti collettivi e tradizionali. Nessuno spazio è concesso all'individuo, questa aborrita creatura della «caduta» illuministica, benché solo di concrete e singole esistenze irripetibili sia costituita ogni comunità.

Sulla base di questo santo *qui pro quo*, il diritto alla differenza viene presentato come equivalente al dovere delle nazioni occidentali di trasformarsi in società pluriculturali e multietniche, rinunciando al progetto (che fu dei democratici radicali, e mai perseguito sul serio dai poteri costituiti) di integrare *individualmente* ogni immigrato. Non dovrà essere quello del multiculturalismo, anzi, il terreno elettivo del dialogo e dell'incontro fra nord e sud del mondo?

I buoni sentimenti affermano di sí. Ma trascurano l'essenziale: la tutela della differenza quale attributo della comunità – anziché dei singoli – equivale ad accettare la norma del gruppo *quale che sia*. Se il riconoscimento della eguale dignità spetta esclusivamente al vincolante ethos collettivo, infatti, vanificando il diritto dell'individuo alla libera scelta della *sua* differenza e premiando quella omologante della comunità, non si possiede piú nessuno strumento per discriminare all'interno di ciascuna cultura le norme accettabili rispetto a quelle «barbare e incivili», poiché con tale pretesa si eserciterebbe il vituperato imperialismo della assimilazione, e con la scusa dei diritti civili verrebbero recise le radici delle culture *altre*.

Identità e sopraffazione.

Si dovrà perciò accogliere lo sfruttamento infantile degli zingari, poiché questo prescrive la tradizione, e accettare altrove la mutilante e sessuofobica pratica della clitoridectomia, perché cosí impone la morale dell'etnia. Il multiculturalismo preso sul serio non è il cous cous, infatti, ma la lapidazione delle adultere, non il velo ma la poligamia. E anche l'antropofagia, eventualmente, suprema espressione di pietas religiosa laddove praticata. Ogni altro multiculturalismo è solo appropriazione innocua di elementi folcloristici in seno a un riaffermato universalismo che privilegia l'individuo *contro* la comunità. Il primato di quest'ultima esige da ciascuno il *totus tuus* di un vissuto che non lascia spazio per la distinzione: il privato è pubblico, cioè politico, e viceversa.

La logica della comunità è infatti quella di una identità *assediata*, e il mondo circostante vale come pericolo incombente. In una società multiculturale, di conseguenza, ogni comunità esige verso l'esterno il riconoscimento di una differenza che costituisce e difende negando analogo riconoscimento al proprio interno. Il riparo che offre è perciò oneroso, perché protegge ciascuno nella sua identità collettiva, ma *si protegge* contro la libertà individuale di quel medesimo ciascuno. Punisce già il dubbio come infedeltà e il dissenso come preambolo di tradimento. La richiesta di libertà è già il satana della corruzione mondana che va devastando le comuni radici. Il semplice pensare individuale, cioè critico, è già un *vulnus* inferto alla comunità, questa differenza gelosa di ogni altra differenza.

Beninteso, il fascino del fondamentalismo ha motivi sacrosanti e in gran numero, oltre alla mai appagata attrazione umana per la servitú volontaria.

Nel terzo mondo predica l'autenticità della religione presa sul serio, contro regimi inetti e disgustosamente corrotti che ne hanno fatto un ipocrita *instrumentum regni*, e in tal modo diviene il riconosciuto campione delle istanze che nella società civile si oppongono alla brutalità antidemocratica e al privilegio. Nelle metropoli occidentali manifesta particolare efficacia – proprio per l'intensità religiosa che lo anima – quale veicolo di solidarietà elementare che alla dimestichezza di lingua, colori, sapori, aggiunge la fede di un ritrovato orgoglio, strumento decisivo di sopravvivenza nello spaesamento di un ambiente ostile. La società che emargina, infatti, pone un'alternativa secca: dentro o fuori. Un ultimativo tutto o niente dove non contano piú le stratificazioni sociali intermedie. E l'immigrato non possiede canali individuali di promozione, tanto piú se nell'illegalità, che è per molti la condizione di esordio.

Inoltre, l'osservanza alla lettera dell'esempio del Profeta e del suo comportamento quotidiano, volta a impedire lo scolorirsi delle differenze con la cultura circostante, si manifesta come opposizione ad aspetti deteriori della vita metropolitana, quali la droga e la delinquenza giovanile, accentuando la sua virtú socializzatrice. E se il genitore può cosí scoprire che l'adesione rigorosa alla fede costituisce uno strumento straordinario per combattere la disgregazione della famiglia (con malcelata invidia del laico occidentale, magari), il figlio può trovare nel fondamentalismo l'arma di riscatto e di risarcimento che lo sottragga al fallimento e alla frustrazione che fu già del padre: la chimera dell'assimilazione.

Queste accattivanti ragioni occultano però l'essenziale. Il paradigma del pluralismo comunitario produce un dispiegarsi onnilaterale di autoritarismo che investe proprio i soggetti piú deboli e raddoppia la loro oppressione. Il giovane è assoggettato all'anziano, la femmina al maschio, l'opinione di ciascuno alla tradizione di tutti. La protezione della comunità è dunque, anche ed essenzialmente, una maledizione, una oppressione dalla quale non si può neppure piú «emigrare».

Il fondamentalismo, come ogni ideologia che radichi l'identità del singolo in quella del gruppo, ha inoltre una vocazione al delirio di persecuzione e una elettiva predisposizione al sospetto. L'identità assediata si nutre dell'assedio, deve esasperarlo quando c'è, deve immaginarlo quando manca, e surrogarlo con un nemico interno. Solo cosí può alimentare il fanatismo necessario a mantenere ineguagliata la sua capacità di mobilitazione. La differenza nel senso della comunità si esprime perciò come unità *monolitica*, e l'ipostasi del nesso sociale si manifesta in un dispotismo carismatico. Strutturalmente in agguato dietro questa rivendicazione della differenza, perciò, proprio la distruzione di ogni differenza. Il fondamentalismo che chiede pluralismo in Occidente è lo stesso che nel proprio paese liquida esplicitamente la democrazia, in quanto *jahiliyya* che espropria Dio della sua irrinunciabile sovranità.

La rivendicazione fondamentalista della differenza, attribuita alle comunità anziché agli individui, si colloca dunque agli antipodi proprio di quella tradizione libertaria e critica che troppi «radicali» occidentali, in preda a raptus comunitario, abusivamente pretendono di rappresentare. Il fondamentalismo, e il vessillo comunitario contro l'individuo, funziona in realtà come uno dei molti possibili catalizzatori di una identità/provocazione che si ritiene paga di una generica connotazione antioccidentale, purché oltranzista, e che motivata da una sacrosanta indignazione contro l'esclusione finisce paradossalmente con l'assumere la non integrazione come valore, esaltando tutti gli autoritarismi di un apartheid volontario. Ma fare di discriminazione orgoglio equivale a coltivare in forma esasperata la rassegnazione premoderna degli oppressi, che si è sempre ingegnata di trasformare la necessità in virtú. Autolesionismo politico e luddismo spirituale che non ha mai impensierito (anzi!) i poteri costituiti.

E ancora. La consolante protezione ottenuta identificando la propria esistenza con quella del gruppo, implica che il passato governi incontrastato il futuro e che a comandare sia la logica degli antenati. Identità collettiva, infatti, non vuol dire solo il riconoscimento reciproco attraverso il calore unanime della festa, ma anche la *colpa* collettiva che ricade di padre in figlio, e l'impossibilità di sottrarsi. Bisognerà dunque riabilitare e santificare ogni odio, anche il piú sopito e ormai indecifrabile, purché abbia venerabili radici nel tempo. Faide di nazioni e accanimento di guerre torneranno a occupare il proscenio, perciò, proprio perché l'Europa è disgraziatamente passata indenne attraverso il tentativo cosmopolita, ancora oggi tanto stigmatizzato dai nemici dei lumi, di sradicamento degli individui dal loro humus comunitario nazional-popolare.

Ricapitoliamo. La logica dell'ethos tradizionale, sopprimendo come astratti i diritti individuali di fronte al fascino onnivoro delle radici, non solo distrugge la protezione reale costituita per ciascuno dai diritti civili (artificiali e fragilissimi, che una infaticabile *cura* per l'individuo deve saper mantenere imprescrittibili), ma vincola a comportamenti e ruoli di sopraffazione: del capo, del maschio, del libro, del passato; della fatalità, infine. Cioè dell'anonimo e irresponsabile per eccellenza, benché qui si presenti col volto familiare dell'autorità tradizionale.

In altri termini. La comunità realizzata è il ghetto, parola impronunciabile (lo mette all'indice il *Dictionary of Cautionary Words and Phrases*, Università del Missouri, 1989), ma realtà che la pulsione multiculturale vezzeggia e riafferma, benché costituisca luogo geometrico e sinergia delle forme piú diverse di esclusione: culturale, politica, economica, territoriale. La società multiculturale compiuta sarebbe solo un *patchwork* di ghetti, di zone dove l'esistenza quotidiana si svolge bensí rotondamente *al riparo*, ma in quanto custodita dalla ossessiva prepotenza delle illibertà tradizionali. Lo scarto che accompagna la modernità giungerebbe con ciò a un esito di dispiegato dominio: la dismisura tecnica ibridata con i lemuri trionfanti di suolo e sangue. Feudalesimo cibernetico da *Blade runner*.

Le bande metropolitane.

Questa diffusione onnipervasiva di condizioni premoderne in seno alla ipermodernità, trova la sua apoteosi nella logica delle bande giovanili metropolitane, tessuto di solidarietà e socializzazione, certamente, ma sulle rovine della cittadinanza mancata. La banda è il doppio della comunità. Valga il vero.

Per il suo costituirsi in microsocietà separata, la banda trova mille giustificazioni nelle inadempienze della società che si definisce aperta. Il sogno americano favoleggia di eguali opportunità, ma il bastone di maresciallo cui concretamente possono aspirare il nero e il portoricano delle statistiche è quello di un lavoro precario e sottopagato, e quanto a status e autostima, un avvenire umiliante di nullità. Contemporaneamente, la banda può affermare di condividere gli stessi obiettivi «della maggior parte della società americana: soldi, beni materiali, potere, prestigio» (Martin Sanchez Jankowski, *Island in the street – Gangs and American Urban Society*, California Press, Berkeley 1991, p. 312). La psicologia che spinge a entrare nella banda è quella americana per eccellenza, infatti: l'individualismo, e nella sua forma distillata, pioneristica, avventurosa: l'individualismo *provocatorio*, di sfida (ivi, p. 23). I cui attributi suonano: competitività esasperata, diffidenza, autosufficienza, isolamento sociale, istinto di sopravvivenza (sia nel senso del predatore, che in quello dell'astuzia che consente di sfuggire alla trappola), e che si riassume e conclude in una visione della convivenza umana quale selezione brutale e impietosa dei piú forti (ivi, pp. 24-26). Pandemonio hobbesiano piú ancora che adattamento darwiniano.

I membri della banda «vedono che la competitività, l'illegalità e il comportamento predatorio sono tutti fattori operanti nell'insieme della società – non solo tollerati, ma sotto parecchi aspetti perfino incoraggiati» (ivi, p. 26). Emerge un paradosso, perciò: il rifiuto come specchio del conformismo, poiché l'agire «ribelle» della banda assume quelli che considera i valori di fatto della società che condanna, e ne costituisce non già la ricusazione, ma solo l'omologo. L'individuo *provocatorio* si rivela con ciò il rovesciamento e la negazione dell'individuo democratico, poiché lo amputa della sua caratteristica più significativa, l'ethos egualitario. L'individualismo della banda si riassume nell'etica della prepotenza, dove vincere vuol dire opprimere, realizzare gerarchia. Ordine, sebbene della illegalità. Nulla di avventurosamente anarchico, insomma. Un «individuo» che è il contrario dell'autonomia. In una banda, o si domina o si è dominati, e una affermazione fra eguali è strutturalmente impensabile.

In breve: l'individuo *di sfida* non ha nulla a che spartire con l'uomo *in rivolta*, e il suo atteggiamento si colloca anzi all'estremo opposto del comportamento libertario. La banda è solo l'eden del *gregarismo*. Di conseguenza, la propria individualità aggressiva diventa fonte permanente e sistematica di frustrazione per i molti chiamati, e di ansia per i pochi eletti, e si scaricherà in una ostilità verso le altre bande nutrita di disprezzo, e in un risarcimento della frustrazione attraverso la prevaricazione sul più debole. Le donne, innanzittutto: «in ogni banda che ho studiato, le donne erano considerate una forma di proprietà» (ivi, p. 146). Onore e rispetto sono il *flatus vocis* che dovrebbe nobilitare una grigia routine di sopraffazione e di violenza, dove la scazzottatura è lo «schema usuale» delle relazioni interne (ivi, p. 144).

E non basta. La banda nasce nel vissuto dei suoi membri come strumento per sfuggire a un destino di opportunità sbarrate, ma l'esito empirico è disperante. Se si escludono i rari casi di promozione sociale attraverso il riuscito inserimento nella grande delinquenza organizzata, e quelli assai meno rari di prigione e morte, « una larga parte finirà con il lavoro e la vita che (aderendo alla banda) aveva cercato di evitare» (ivi, p. 62). Il tratto che piú ci interessa è comunque un altro. Le bande appartengono al ghetto e funzionano da *milizia* della comunità (ivi, p. 180) e della sua gelosa chiusura, al punto che perfino il taglieggiamento da *racket* viene vissuto dalla comunità come un servizio: « Avrei comunque bisogno di pagare una impresa di vigilanza, e francamente la banda garantisce molta maggiore protezione di quella che loro (l'impresa di vigilanza) potrebbero mai fornirmi» (ivi, p. 123). La banda come esercizio di patriottismo, allora. C'è simbiosi fra banda e comunità, secondo la tipologia maoista del pesce nell'acqua. Se non «riuscissero a stabilire un contratto sociale reciprocamente vantaggioso con le loro comunità», infatti, le bande «finirebbero per non essere piú in grado di agire» (ivi, p. 193). Si tratta della norma, non dell'eccezione: «Nell'84 per cento dei casi che ho studiato (31 bande su 37), la banda e la comunità in cui essa era attiva avevano stabilito un legame funzionante» di questo genere (ivi, p. 179). La banda difende la ghettizzazione della comunità, e la comunità la apprezza proprio per questo ruolo.

E infine. Nata contro il sistema, la banda viene utilizzata direttamente dal sistema proprio nei suoi aspetti degenerativi, patologici. Come strumento della corruzione politica, del «voto di scambio» che si sostituisce al voto di opinione o di (legittimo) interesse. I politici riconoscono apertamente che «le bande rappresentano una parte integrante della comunità e, come tali, una risorsa» (ivi, p. 217), mentre i giovani capi sottolineano l'affidabilità dei politici nello scambio di favori (ivi, p. 218): distribuzione di materiale propagandistico, ma soprattutto intimidazione fisica per costringere a versare contributi finanziari e per forzare gli elettori al seggio, a fronte di denaro, posti di lavoro, assegnazione di edifici, protezione della polizia, fornitura di droga (ivi, pp. 219-223).

Possiamo tirare le somme. La banda, mossa da spirito di rivolta, esalta con la sua struttura comunitaria e la mentalità che veicola, quanto di più oppressivo per la dignità di ciascuno e di tutti abbia distillato lo scarto dell'Occidente rispetto agli ideali critico-libertari. Epitome di oppressioni, è dunque la più falsa delle rivolte, il più rivoltante dei rifiuti. La sua logica ha nome *anomía*. L'individuo/provocazione, che non chiede *più legalità* (e altre leggi, eventualmente), ma l'informalità opprimente della differenza di gruppo, è solo la maschera falsamente avventurosa dell'individuo/prevaricazione, che a sua volta nasconde il volto di un individuo/conformismo, poiché invece della costruzione dell'autonomia per ciascuno (e dei suoi presupposti legali, culturali, sociali), è impegnato solo a reiterare l'automatismo che impone: legge del più forte.

Questo tipo di individualità *replicante*, che è la negazione di una esistenza autenticamente individuale, si trova a suo agio tanto nel clima della comunità quanto nel disfrenarsi dell'individualismo gerarchico e selvaggio del mero successo. *Ideologia* individualistica, lato oscuro e prevalente della modernità come disincanto *tradito* (perfettamente compatibile, abbiamo visto, con la negazione dell'individuo concreto), abissalmente lontano dall'esistenzialismo libertario che promuove la realizzazione dell'individuo autentico, cioè il libero accesso di ciascuno a tutte le sfere della realtà privata e pubblica. Prospettiva, quest'ultima, che esige il massimo di garanzia legale, di potere pubblico imparziale e condiviso.

La banda, il ghetto, la comunità, sono perciò perfettamente innocui per un potere costituito che privilegia la gerarchia sull'eguaglianza. Il ripiegamento comunitario che si accontenta di sottolineare e rivendicare il ruolo di vittima, e che alimenta il pendolo dell'apatia e della disperazione, dell'implosione nella *routine* delle illibertà tradizionali e della esplosione in disperate *jacquerie* metropolitane, consegna alla macchina politica dell'establishment il potere della mediazione e ne riconferma il potere *tout court*.

Multiculturalismo e opportunismo.

Perché, allora, la proposta della soluzione multiculturale trova credito crescente presso i governi occidentali e ammalia di canto stregato settori di opinione un tempo legati al radicalismo democratico (e che magari si pensano ancora tali)? Per opportunismo, innanzittutto. Tra orizzonte dell'integrazione e prospettiva multietnica, è la prima soluzione, se presa sul serio, ad avere prezzi assai piú elevati e sotto ogni profilo, per i potenti del privilegio ma anche per i diffusi egoismi popolari.

Nelle elezioni britanniche dell'87 il movimento fondamentalista *Tabligh*, il cui centro europeo si trova a Dewsbury, vicino a Bradford, zona industriale in decadenza, tornata alla ribalta proprio per i roghi dei *Versetti satanici* di Salman Rushdie, aveva avanzato una «carta delle rivendicazioni musulmane» che in realtà chiedeva il rafforzamento della segregazione comunitaria e del controllo della comunità sui singoli, con sanzioni per i comportamenti eterodossi e censure per le opere che «presentano una immagine non autentica dell'islam». I capi di queste comunità diventano gli intermediari privilegiati delle autorità anche in forza del fallimento della politica di *welfare* (e di quella dell'ordine pubblico e della lotta alla criminalità). Insomma: contro la delinquenza e la droga (degli immigrati di colore, sia chiaro), anche il paese della *magna charta* sembra non avere dubbi: meglio la illibertà del fondamentalismo e ben venga il soffocante controllo sociale della comunità sull'individuo e la sua moralità. E piú in generale «permettere la creazione di una moschea in un garage o in una cantina di una casa popolare è assai meno costoso che finanziare corsi di formazione professionale» (Gilles Kepel, *La revanche de Dieu*, Seuil, Paris 1991, p. 60). E sugli appalti di una moschea vera si può anche speculare, eventualmente.

La comunità, insomma, è veicolo privilegiato per alimentare clientele. Anche il diritto di voto in sede locale a immigrati che resterebbero con la nazionalità d'origine, perciò, per quanto possa ammaliare le corde progressiste, avrebbe quasi certamente effetti perversi. Il cieco buon cuore ideologico di qualche sinistra preferisce non vedere ciò che il cinismo delle destre saprebbe invece perfettamente mettere a profitto: che l'immigrato emarginato, questo lazzaro di fine millennio, ricevendo la titolarità del voto senza godere preliminarmente dei presupposti legali, culturali e sociali che sostengono ogni ordinamento democratico, non conquisterebbe un diritto irrinunciabile (contare politicamente per uno, come ciascun altro), ma una moneta di scambio, che alienerebbe (probabilmente a poco prezzo), potenziando ciò che la democrazia già conosce di degenerativo: clientele, corruzione, mafie. L'opposto di un voto *libero*.

Ci si invischia con la proposta del multiculturalismo per opportunismo, dunque. Ma la si brandisce anche per convinzione, fino al fanatismo. Sono questi i territori piú inquietanti di una nuova ideologia oscurantista. Dove una ricognizione appena sommaria ci costringerà alla scoperta di sorprendenti (e allarmanti) convergenze.

Comunione e liberazione.

Per cominciare. Il multiculturalismo è oggi una bandiera (ma forse politicamente *la* bandiera) della fede cattolica piú integralmente intesa, quella di *Comunione e liberazione*. Questo movimento ecclesiale nato una prima volta come *Gioventú studentesca* nei licei milanesi a opera di don Giussani nel 1954, rifiuta con sdegno l'etichetta corrente di organizzazione politicamente conservatrice, fiancheggiatrice della chiesa piú bigotta e retriva, e rivendica semmai una vocazione rivoluzionaria (sebbene in accezione peculiare) e comunque anticonformista. I *ciellini* rivendicano addirittura di essere gli unici eredi della piú recente contestazione libertaria, in rotta di collisione con lo spirito dei tempi e le egemonie dominanti dell'esistente. «Possiamo oggi sempre piú affermare che i motivi ispiratori dei moti del '68 vengono con tenacia portati avanti e sviluppati proprio da noi, che alcuni critici superficiali o prevenuti accusano di essere una forza contraria ed estranea a quella vicenda» (Luigi Giussani, *Il movimento di Comunione e liberazione*, Jaca Book, Milano, p. 55).

Amano presentarsi, insomma, come vivente crogiuolo di contestazioni contro i differenti aspetti di una vituperata deriva borghese. Innanzitutto il cattolicesimo degli anni '50, tiepido di fede, avvitato in piccoli progetti e meschine speranze, avvilito in una dimensione di egoismi individualistici, oppresso da un inguaribile complesso di inferiorità nei confronti dei laicismi liberali e marxisti. Di questa umiliante situazione vengono imputati i cattolici democratici, il dualismo di Maritain (ivi, p. 62), l'interpretazione dualistica fede/mondo cui si presta la *Gaudium et spes* (ivi, p. 57) e gli insegnanti imbevuti di secolarizzazione che accettano la separazione fra il religioso e il temporale, e un'idea astratta di Stato neutrale (ivi, p. 17). Cioè quel mondo cattolico che, nell'ossessione di *Cl* per l'incombente deviazione protestante, celebrerà la propria egemonia con Paolo VI Montini, il cui maestro prediletto era proprio Maritain. E ancor piú il mondo degno di anatema di un cattolicesimo laicamente inteso, che si rifiuta in Italia alla fallimentare vandea integralista contro l'introduzione del divorzio e la legalizzazione dell'aborto. E che intende in senso impegnativo la distinzione fra ciò che spetta a Dio e ciò che compete al mondano contratto di convivenza fra gli uomini.

Cl considera drammatici per la fede i riflessi di questo atteggiamento di abdicazione al secolo, soprattutto in un settore giudicato per eccellenza strategico, quello della educazione scolastica. Nella fascia successiva a quella dell'obbligo, la scuola pubblica sarebbe in balía a un autentico e deliberato complotto laico (ivi, p. 15) che avrebbe il suo epicentro a Milano. «Non possiamo accettare il monopolio statale della scuola pubblica» (ivi, p. 44), recita l'argomentazione velenosa con pretesa ascendenza libertaria, di cui *Cl* abusa per esigere in realtà una scuola confessionale pagata dallo Stato. Suona accattivante gorgheggio antiburocratico, ovviamente, la geremiade contro un «monopolio statale» di stantia inefficienza. Ma gli strali di *Cl* non sono affatto rivolti alle ottusità della gestione amministrativa. Il *pluralismo* di cui *Cl* si fa paladino vuole distruggere i programmi scolastici unitari frutto di quella «concezione illuministico liberale» (*ibid.*) che mira a consegnare all'individuo gli strumenti critici per la costruzione autonoma del proprio orientamento ideale di adulto.

Vera bestia nera di don Giussani, la scuola pubblica «non rispetta l'identità culturale di nessuno», e se in apparenza «nemmeno la coarta», in realtà – proprio perché si presenta agli studenti con l'ingannevole belletto di un limbo imparziale – «finisce paradossalmente per porre la coscienza critica dei giovani in uno stato di narcosi che li rende docili alla manipolazione culturale di qualunque gruppo organizzato o singolo insegnante» (ivi, p. 15). Ma ad avere dimestichezza con la logica, una impostazione pedagogica centrata sul rispetto della libertà di coscienza dovrebbe esattamente «*non* rispettare l'identità culturale di nessuno», cioè non dovrebbe obbligare lo studente a nessuna «identità culturale» presupposta e al vincolo di una ideologia *assegnata*. Proprio perché una pedagogia della libertà è impegnata a fornire a tutti gli stessi strumenti che rendano ciascuno soggetto di scelta. Dunque, almeno in questo senso, *libero*. Per *Cl*, invece, con un abusivo capovolgimento semantico a finalità settaria, coltivare la coscienza critica dei giovani significa assumere come data e destinata *una* (quella dei genitori!) fra le tradizioni culturali possibili, mentre proporle tutte criticamente nella loro reciproca relatività vorrebbe dire «renderli docili a uno stato di narcosi». Il dubbio come oppio dei popoli, insomma.

C'è della logica, in questa follia. L'integralismo cattolico esige una scuola privata *confessionale*, anticritica e pagata dallo Stato, quale inveramento del diritto a una scuola pubblica, proprio perché nega che la religione possa costituire una libera scelta *privata* rispetto alla quale *ogni* istituzione pubblica, se vuole davvero essere *di tutti*, deve restare rigorosamente estranea e neutrale. Dimenticando che in uno Stato democratico esistono *religioni* al plurale, reciprocamente concorrenziali, e non privilegiabili (nemmeno rispetto all'ateismo). Relegare «la religione in chiesa» non costituisce affatto, perciò, un vessatorio «confino di polizia» (ivi, p. 82), secondo la vittimistica indignazione di *Cl*. Che del resto vede perseguitati i cattolici, solo perché non possono imporre a tutti (credenti e non) un matrimonio indissolubile e la proibizione dei contraccettivi.

Al dunque. Gli attuali moschettieri del papa polacco esaltano la concretezza del vissuto reale contro ogni genere di astrattezza e conformismo, ma il soggetto di tanta cura non è mai il singolo, con l'empio orgoglio delle sue limitate opinioni, bensí la comunità, il popolo, e ogni altro ipostatizzato insieme. «Originalmente l'uomo prende coscienza della propria soggettività come appartenenza» (ivi, p. 139), ma per *Cl* questa descrizione suona piuttosto *prescrizione*, dimenticando che con la modernità, piaccia o meno, questa condanna cessa di essere un destino.

E invece: «Un tema che sempre piú esplicitammo dal 1965 in poi, e che doveva in seguito emergere come uno dei valori di fondo del '68, è l'affermazione netta e vivace del diritto all'espressione di un'esperienza vissuta di comunità e di popolo contro tutti i conformismi e la rigidezza degli apparati» (ivi, p. 70). Perciò, «sbagliano quei critici del nostro movimento i quali sostengono che l'attuale *Cl* è un gruppo i cui motivi ispiratori contraddicono i temi e le speranze del '68, che quindi entrò in crisi sulla spinta degli avvenimenti di quell'anno, per poi riemergere piú tardi in una fase di restaurazione, come una delle forze che oggi tentano di prescindere da quei temi e da quelle speranze» (ivi, pp. 50-51).

Iconoclasti di regime.

Ma le cose stanno proprio cosí: *Gioventú studentesca* fu spazzata via esattamente dall'ondata della contestazione studentesca, e poi operaia. E il tentativo di *Cl* di annettersi la carica ideale di quel movimento è vergognosamente abusivo, poiché i fedeli di don Giussani sono protagonisti di una restaurazione che rovescia i temi del '68 e li piega a esiti controriformistici. *Cl* non prescinde dal '68, dunque, ma solo perché nasce come *surrogato* di quel movimento quando esso esce sconfitto, in primo luogo in ragione delle sue interne contraddizioni. Movimento libertario e animato da radicali istanze riformatrici, ma irretito nel boa constrictor delle ideologie marxiste «eretiche», lungo la gamma che va dall'intransigente ma antinomica democraticità di Rosa Luxemburg al lugubre totalitarismo gaudioso del grande timoniere, il '68 finisce per ripiegare nel clericalismo asfittico di organizzazioni talvolta piú dogmatiche dei tanto vituperati partiti «revisionisti».

Cl, con la sua ossessione di comunitarismo e ortodossia, può semmai accreditarsi come erede di questo *crepuscolo* del '68. Non è certo un caso, infatti, che all'integralismo religioso di questo gruppo siano approdati i dirigenti di *Servire il popolo*, l'organizzazione del piú esasperato bigottismo maoista, il cui capo celebrava matrimoni rossi in nome del sole rosso dei nostri cuori, e in ottemperanza al principio comunitario per cui il personale è politico, esigeva pubblici auto da fé verbali, perché compagni e compagne confessassero i devianti piaceri della lussuria, e giurassero in materia futura ottemperanza alle prescrizioni sessuofobiche dei dirigenti.

Di facile e inquietante ermeneutica, a questo punto, l'annessione con cui *Cl* pretende di essere non solo l'erede ma il precursore della contestazione studentesca: «Un altro tema con il quale possiamo dire di aver anticipato il '68 è l'urgenza di cambiare il volto della società a partire da una realtà di rapporti mutati, piú umani. Gli attacchi al conformismo borghese e alla falsa saggezza del razionalismo illuministico, nel 1968 erano per noi già vecchi di tredici anni» (ivi, p. 70). Il riferimento critico ai conformismi e l'accenno eversivo agli apparati dello Stato non possono a questo punto ingannare. Il rifiuto di *Cl* degli orizzonti borghesi esprime solo risentimento per il primato dell'individuo e dei *suoi* diritti, rispetto alle tradizioni, ai costumi, alle religioni, al *conformismo di comunità*. ✓

Cl è «chiaramente contro il capitalismo, e per la transizione verso una società non piú fondata sulla divisione e sul profitto» (ivi, p. 84), ma col procedere degli anni ha sviluppato un suo articolatissimo sistema imprenditoriale, la «compagnia delle opere», e una politica sociale la cui contestazione dell'esistente era già annunciata nella definitiva affermazione: «la giustizia è la fede» (ivi, p. 72). Questa spericolata equazione, e le altre che sottintende e che mettono capo agli interessi della chiesa cattolica come criterio per giudicare ogni comportamento pubblico, consentono a *Cl* ogni disinvoltura in tema di alleanze. Saranno cosí volta a volta Craxi e Andreotti, e infine il chiacchieratissimo boss della Dc romana, Vittorio Sbardella detto «lo squalo», i personaggi della nomenklatura che godranno dei favori, peraltro assai ambiti, della stampa e delle organizzazioni fiancheggiatrici di *Cl*. Tutto il pathos antiborghese si esaurirà perciò nel disprezzo per la legalità, questo autentico e irrimpiazzabile potere dei senza potere, insolentito come formalismo del diritto astratto, e della «divisione» che caratterizza il capitalismo, in correzione dei quali si invoca la democrazia organizzata e «sostanziale» del monopolio consociativo partitocratico. Per l'integralismo cattolico la democrazia resta innanzitutto *consenso*, comunque conseguito, a prescindere dai presupposti del secolarizzato Stato di diritto.

Questo spiega lo spurgo di populismo con il quale «Il Sabato» (braccio massmediologico di *Cl*) e il «Movimento popolare» (braccio politico) si esibiranno lungo l'estate 1992, in un ludibrio sistematico di cachinni indecenti per intimidire gli scoperchiatori di Tangentopoli, i giudici di Milano (e poi del Veneto, di Firenze, e di tutto il paese, si spera) che vanno finalmente mettendo a nudo la capillarità del malaffare partitocratico, arrestando uomini vicinissimi al capo socialista Bettino Craxi e ai ministri democristiani, ma anche taluni esponenti dell'opposizione ex comunista e repubblicana in combutta con i primi. Verrà cosí scatenata una autentica vandea di aggressione contro gli odiati «moralisti», cioè coloro che si ostinano a pretendere che i potenti della politica non possano comportarsi *legibus soluti*, e tacciando quanti vogliono legalità di essere dei fanatici da rivoluzione puritana (le *cheerleaders* laiche della ruberia partitocratica, non oppresse da ossessioni di pericolo protestante, preferiranno evocare il fantasma giacobino). Per *Cl* il «principio fondamentale» che «offre ai cristiani il criterio per decidere praticamente l'atteggiamento nei confronti delle istituzioni e delle leggi» è solo la *libertas Ecclesiae*, infatti, che può consentire «la piú ampia tolleranza anche verso leggi e istituzioni inique» («Il Sabato», 11 Luglio 1992). Compresa la schiavitú, figuriamoci la violazione del settimo comandamento da parte dei politici amici.

Tiriamo le somme. *Cl*, magnificando contro i cattolici democratici la prospettiva del cattolicesimo *popolare*, non fa altro che rinnovare in versione post '68 la sinergia fra integralismo reazionario e paternalismo sociale che fu già degli ultrà cattolici, «socialisti» legittimisti e dottrinariamente intransigenti, che tanto piacevano a Leone XIII. Quello di Comunione e liberazione è autentico peronismo dell'anima, insomma, e la sigla *Cl* molto piú propriamente suonerebbe: *Conformismo è libertà*.

Le identità rifugio.

Ogni integralismo e fondamentalismo, in realtà, sotto il pretesto del rispetto della differenza, cioè della salvaguardia dei piú deboli, delle culture che rischiano l'emarginazione, vuole solo un privilegio per sé, per la *propria* differenza. Che oltrettutto vuole imporre per legge, vanificandola dunque in quanto differenza e puntando alla omologazione. Ciò che in realtà si persegue è il conformismo etico e l'obbedienza a ciò che l'autorità religiosa spaccia come legge naturale (e che coincide regolarmente, guarda caso, con la propria opinione in materia di rivelazione).

Il favore che la logica del ghetto incontra appartiene, in realtà, all'esplodere di quella richiesta di *identità rifugio*, che si manifesta laddove al singolo non si offrono reali *chance* di affermare la propria. Se il protagonismo della cittadinanza, con tutta la ricchezza di risorse, relazioni, autodeterminazione che la cittadinanza comporta, si risolve per l'individuo in una promessa non mantenuta (o mantenuta solo per alcuni), e se dunque sceglersi come individuo equivale a perdersi nell'anonimato e nella solitudine, allora niente di piú ovvio che il ripiegare rassicurante in una identità di *appartenenza*, sia essa di terra, di sangue, di sesso. Comprese alcune varianti fondamentaliste dell'ecologismo.

Per verificarlo, trasferiamoci nei lontanissimi lidi, geograficamente e ideologicamente, del piú arrabbiato radicalismo americano: i campus dove imperversa il *Politically correct* (familiarmente *Pc*), movimento delle minoranze oppresse in rotta con i poteri costituiti, che denuncia l'ipocrisia del sogno americano e il carattere assolutamente illusorio delle eguali *chance* di partenza. Del tutto insensibile al richiamo religioso e nutrito invece di passione per

l'eguaglianza, il vessillo del *Pc* recita, all'opposto di quello
di *Cl*: la fede è la giustizia. E condanna gli Stati Uniti come
legno negriero dove a nessuno è in realtà dato di allonta-
narsi dal ponte assegnato della propria emarginazione.

Lo strumento canonico per costringere la società americana a prendere sul serio i suoi stessi presupposti, eguaglianza di *chance* e alta mobilità sociale, sarebbe perciò
l'*azione positiva*. In realtà, il titolo VI della legge sui diritti
civili del 1964 (*Affirmative action*, appunto) stabilisce solo
che: «Negli Stati Uniti nessuno potrà, in ragione della
razza, del colore o dell'origine nazionale, vedersi rifiutati
la partecipazione o i benefici o essere oggetto di discriminazione in un programma o in una attività che riceva un
aiuto finanziario federale». Ma ormai, *affirmative action*
significa per il movimento la richiesta di riprodurre nelle
università le stesse percentuali etniche presenti nella società circostante, attraverso un sistema di «quote» che
privilegi, anche in opposizione al merito, quei settori di
popolazione che malgrado l'eguaglianza giuridica continuano a essere altrimenti sistematicamente sottorappre-
sentati. In base al principio che la giustizia sociale deve fare aggio sul criterio del merito, e che si tratta di estirpare il
razzismo da istituzioni che abbandonate all'inerzia dei diritti individuali lo perpetuerebbero, un punteggio anche
notevolmente piú basso garantirà l'accesso all'università,
se a conseguirlo sarà un soggetto «debole» appartenente
a una minoranza oppressa.

Ma il sistema delle quote promuove davvero una maggiore giustizia sociale? L'azione positiva ha lo scopo dichiarato di rendere effettiva una eguaglianza di *chance*
che è tale solo sulla carta. Poiché l'appartenenza ad una
comunità emarginata costituisce un handicap, le quote
vincolanti dell'*affirmative action* intendono dunque violare l'eguaglianza individuale di fronte al merito, ma solo

per ripristinarla nella sostanza. Statisticamente, infatti, nero equivale allo stenogramma di una lunga lista di condizioni sociali, familiari e culturali svantaggiose. E tuttavia, la politica delle quote mette capo a risultati opposti a quelli auspicati, e si dimostra un bailamme di antinomie, controindicazioni, effetti perversi.

Per realizzare una selezione alternativa a quella del merito individuale, infatti, il sistema delle quote non può essere applicato solo al momento dell'accesso all'università, ma deve prolungarsi quale strumento permanente di valutazione lungo tutto il corso degli studi, fino alla laurea e al PhD. Altrimenti la selezione per merito tornerebbe a operare, dislocata semplicemente nel tempo, e anzi con maggiore brutalità. Si è dovuto constatare, infatti, come del resto era ovvio, che lo studente entrato malgrado il punteggio piú basso, e solo in virtú del colore della pelle o del sesso, non solo non recupera, ma arranca perdendo ulteriore terreno: conosce percentuali di abbandono assai superiori alla media, ha voti piú bassi agli esami, alcuni non li passa, comunque si laurea in ritardo e con punteggio inferiore. Se il sistema delle quote ha un senso, allora, anche gli standard per promozioni, voto di laurea, PhD, dovranno essere diversi per il bianco, il nero, la donna, l'omosessuale, e ogni altra identità collettiva sia stata ritenuta meritevole di entrare nella logica delle quote.

Anche cosí, tuttavia, la selezione in base al merito individuale verrebbe solo rinviata. Non farebbe che spostarsi al momento dell'ingresso professionale nel mercato del lavoro, infatti. Perché il sistema delle quote lungo il periodo degli studi non si risolva in una beffa, e non produca solo frustrazione di sottoccupati, è perciò necessario che si proietti oltre l'università, nella vita stessa. E se si vuole che in ogni professione a reddito e status elevati le percentuali per razza e sesso corrispondano a quelle della società, perché altrimenti trionferebbe la discriminazione, esiste una sola soluzione: che i neri abbiano avvocati e medici neri, le donne donne, gli omosessuali omosessuali. La logica delle quote è stringente, ineludibile, socialmente onnipervasiva. Altrimenti è chiacchiera da imbonitori elettorali. Non è un caso, perciò, che la Duke University abbia, con rigorosa coerenza, avviato l'introduzione del sistema delle quote anche per i professori, e che il suo esempio stia facendo scuola. Questa logica, tuttavia, conduce solo a un generalizzato apartheid. Prima di esaminarla nel suo inesorabile andamento, fermiamoci su altri e non meno inquietanti risvolti.

Per cominciare. I criteri per definire una minoranza emarginata e oppressa non sono affatto autoevidenti. L'archetipo è quello del nero importato come schiavo, e che la Costituzione americana, in origine, riconosce uomo solo per i tre quinti (art. 1, sez. 2, comma 3). E il razzismo sarà legge suprema fino al recentissimo ieri delle sentenze Warren, cioè all'inizio della seconda metà del ventesimo secolo. La grande democrazia americana si sviluppa lungo due secoli anche come Sudafrica. Tuttavia non è questo della discriminazione razziale il criterio oggi utilizzato dal *Politically correct*. Neppure nella sua estensione alle sole nuove immigrazioni extraeuropee. Yat-pang Au, che viene da Hong Kong, nel 1987 vede respinta la sua richiesta di ammissione a Berkeley, malgrado punteggi straordinariamente elevati, proprio per la sua origine razziale («Los Angeles Times Magazine», 19 luglio 1987, pp. 23-28). Gli studenti di famiglia asiatica, pure quando condividono le svantaggiate condizioni socioeconomiche degli altri gruppi di recente immigrazione, hanno infatti esiti scolastici particolarmente brillanti, mediamente superiori anche a quelli di studenti bianchi agiati e americani da generazioni. Perché ogni gruppo etnico sia rappresentanto proprozionalmente nelle università, dunque, vengono penalizzati e discriminati. Le quote erano state introdotte come radicale correttivo al funzionamento solo apparente della promozione sociale individuale. Ma quando il merito funziona davvero, viene ancora piú rigidamente soppresso quale criterio di selezione.

Politically correct.

La giustificazione delle quote, non dimentichiamolo, era quella di una maggiore giustizia sociale. Perché, allora, nel promuovere *azione positiva* non si fa riferimento *diretto* ai numerosi indicatori dello svantaggio sociale (reddito, famiglia senza padre, quartiere degradato, livello scolastico dei genitori, alcolismo, droga) invece che all'identità etnica che dovrebbe riassumerli? Il criterio di partenza, che era *sociale*, è stato surrettiziamente abbandonato, evidentemente. Il criterio etnico funziona ora in quanto tale, e non come presunto stenogramma di una multiforme oppressione sociale.

Ma contraddittoriamente. Minoranze oppresse, per il *Pc*, non sono solo quelle etniche, e neppure quelle sessuali (le donne, *maggioranza* ma discriminata), bensí le *preferenze* che hanno fin qui trovato ostilità nel conformismo sociale di massa. Gli omosessuali, in primo luogo. La proliferazione è tuttavia inevitabile, tenendo fermo il principio. Perché non gli atei, ad esempio, in un paese dalle mille confessioni religiose, ma dal pregiudizio radicatissimo verso il senza fede (né patria!)? O gli ecologisti, i vegetariani, i non fumatori (ma ormai forse, paradossalmente, i fumatori), i depressi, i bulimici, i tossicodipendenti, gli obesi, i viziosi di chiromanzia, tarocchi e altri oroscopi?

In realtà, il movimento del *Politically correct* ha compiuto un rovesciamento radicale di prospettive. Non chiede che le minoranze (tutte) cessino di essere discriminate bensí che siano (tutte) *riconosciute*. Rivoluzione copernicana. O piú esattamente, controrivoluzione tolemaica. E infatti. Un predicato di appartenenza, di identità collettiva, che ha pesato come fattore di emarginazione, non viene piú rifiutato ma orgogliosamente rivendicato. Sembra una conquista: si assume con fierezza un tratto per cui storicamente si è stati disprezzati. Ma questa identità tanto ostinatamente affermata, diviene una camicia di forza. Indefinibile e inafferrabile, oltrettutto. Infatti, quando la rivendicazione di non discriminazione, cioè di in-differenza (rispetto alla razza, al sesso e a ogni preferenza), si trasforma in differenza rivendicata come identità qualificante, la competizione ideologica per l'affermazione del predicato *autentico* fa la sua ineludibile irruzione.

Se si tratta di impedire che il colore della pelle conti come discriminante, vi saranno grandi difficoltà pratiche, ma ideologicamente la cosa è semplice: quel colore non deve avere influenza, da quel colore si deve prescindere. Ma se il colore (o il sesso, o la preferenza) diventa strumento di identità, riconoscimento sociale, e perfino trattamento preferenziale, si trasformerà in *posta* di un gioco tutt'altro che scontato. Ci sarà sempre un nero, ad esempio, che accuserà l'altro nero di «agire bianco», magari perché ascolta un determinato tipo di rock (Dinesh D'Souza, *Illiberal education*, The Free Press, New York 1991, pp. 47-48). Una ragazza nera che esca con un bianco tradisce la sua *nerità*. La non discriminazione chiede che ciascuno venga trattato da individuo, senza aggettivi. Ma il sistema delle quote, irrigidendo l'azione positiva in *discriminazione* positiva fondata su una identità collettiva, scatena il conflitto sull'ortodossia ideologica. Per i corsi di *women studies* non si richiederà perciò che l'insegnante sia donna, bensí *femminista*, e ogni femminismo accuserà la parrocchia rivale di cedimento, di «pensare maschile», mentre l'omosessuale dovrà essere orgogliosamente dichiarato e militante, e verrà accusato di essere un gay-zio Tom se preferirà vivere la sua scelta nella riservatezza privata. L'identità è per definizine *una*, infatti, e diventa l'irrinunciabile palio di uno scontro settario fra ortodossie. Si entra con ciò a vele spiegate nell'universo totalitario del leninismo, dove l'operaio non è riconosciuto tale, benché viva quotidianamente lo sfruttamento di fabbrica, se non è dotato di «coscienza di classe», cioè se non aderisce al leninismo medesimo.

E non basta. I criteri di ortodossia comunitaria che il sistema delle quote finisce per imporre, non danno luogo ad alcuna alleanza contro l'establishment, ma sono in realtà reciprocamente incompatibili. Se è *politically correct*, cioè doveroso, agire in conformità al costume del gruppo e alla sua «autenticità» (cioè alla versione estrema della sua ideologia), l'orgoglio nero o portoricano, nutriti di *machismo*, saranno esclusivi di quello femminista e omosessuale, e viceversa.

In definitiva l'*affirmative action* non emancipa affatto i gruppi diseredati, ma intanto discrimina degli individui di nulla colpevoli. Il bianco che viene escluso, lo è nel presupposto che il suo *gruppo*, cioè i suoi *progenitori*, abbiano oppresso il nero e sterminato l'indiano d'America. Paga per le colpe dei padri. È il sangue degli antenati che ricade su di lui. Se il diritto postmoderno deve incamminarsi su tali arcaici sentieri, bisognerà ripristinare l'imputazione di deicidio per i «perfidi giudei», tanto per cominciare. E per un delitto razziale diventerà ragionevole estrarre a sorte chi dovrà pagare e punirlo in rappresentanza di tutto il gruppo, soprattutto se non si scopre il colpevole. Verso questo esito allucinante, del resto, si ha l'impressione che in America si muova piú di un processo, compreso qualche caso di stupro.

Con la stessa logica, un italiano, un francese, uno spagnolo, saranno comunque colpevoli di fascismo, anche se individualmente avranno combattutto contro Salò e Vichy o soggiornato a Carabanchel, perché tali furono in maggioranza i loro paesi. Ma perché mai l'antifascismo (cioè una *scelta*) non dovrebbe fare aggio, nella rispettiva identità, sulla francesità, la spagnolità, l'italianità? Invece, sono proprio le opinioni politiche (e il reddito) l'unico criterio che il *Pc* non invoca mai per caratterizzare l'identità di ciascuno, benché siano certamente due fattori di discriminazione per eccellenza nella società americana.

Il surrogato di una rivoluzione mancata.

Ovvio che sia *politically correct*, allora, insieme al sistema delle quote, ogni rivendicazione tesa a privilegiare l'identità di gruppo su quella individuale, e anzi a considerare questa l'altro nome della intolleranza e della discriminazione. Di conseguenza, ogni prodotto culturale, da Omero a Kafka, verrà considerato esclusivamente come reperto di testimonianza ideologica, indifferente sotto il profilo del valore artistico e significativo solo in quanto esprime il punto di vista e le convinzioni di un gruppo. «Nulla passa attraverso una mente che non abbia la sua origine nelle differenze sessuale, economica, razziale» (ivi, p. 160), sentenzia il determinismo da sballo del professor Frank Lentricchia, questo Engels in confezione usa e getta, perfetto per i climi dell'indigenza e del provincialismo culturale. Che una valutazione estetica non possa essere obiettiva nel senso della scienza, è una di quelle ovvie banalità sempre piú spesso ripetute per rivendicare l'assurdità tutt'altro che innocua di un «punto di vista» nero su Shakespeare (in opposizione a una presunta prospettiva bianca), o di una «ragione» femminile distinta da quella maschile, per finire con la contrapposizione tra scienza borghese e proletaria, o magari ebrea e ariana, e accatastare cosí nuove fascine per i roghi ideologici di fine millennio. Di questo passo, la riabilitazione di Lysenko e delle sue pannocchie è solo questione di tempo, nei campus del *politically correct*.

Accomunare nella ingiuria di essere maschi bianchi eterosessuali autori diversissimi, da Agostino a Faulkner, secondo i furori del *Pc*, è semplicemente insensato. Questo, semmai, è il loro tratto comune e inessenziale, mentre vanno studiati proprio per ciò che eccede questa definizione generica: per ciò che li distingue, caratterizza, *individua*. Il famoso *curriculum* di studi occidentale, messo sotto processo in numerose università, perché appunto maschio bianco eterosessuale, ha valore proprio perché costituisce «una cacofonia che non insegna la certezza ma il dubbio, che non presenta una dottrina occidentale unica sulla verità, la bontà o la bellezza, ma una guerra interna all'Occidente che oppone differenti prospettive di questi valori» («The New Republic», 18 febbraio 1991, p. 6). Proprio questo il *politically correct* non vuole vedere: che il razzismo, il maschilismo, la prevaricazione dei potenti, si ritrovano in tutte le civiltà, comprese quelle che i dipartimenti di *african studies* vogliono ora idealizzare per nutrire un orgoglio di razza (Dinesh D'Souza, cit., pp. 111-121), mentre la critica degli stessi ha preso vita solo in Occidente.

La logica dell'identità rovescia inoltre la tradizione radicale in difesa del *free speech*. Ora diventa *politically correct* censurare ogni affermazione che possa offendere le ideologie che si autoproclamano depositarie dell'autenticità delle minoranze oppresse. Sarà perciò proibito criticare Malcom X, o sostenere che esistono casi di false denunce per violenza carnale, o semplicemente riportare le statistiche sui risultati differenti di bianchi e neri nei test attitudinali o sul maggior numero di ragazze madri abbandonate fra i neri (ivi, pp. 149, 148, 150). Dimenticando che il *free speech* risulterà sempre oltraggioso per chi è scarsamente sensibile al valore della critica, ma che la censura finisce solo per promuovere la logica dell'eufemismo, stimolando l'immaginazione a coltivare sensi ingiuriosi per parole correnti, in una rincorsa senza fine.

Oltrettutto, per difendere una vacillante autostima degli individui appartenenti alle minoranze, si finisce per minarla definitivamente. Evitare la polemica in classe, non affrontare esplicitamente i pregiudizi razzisti, significa solo potenziarli. E riscoprire la censura, bollando oltretutto di razzismo anche semplici opinioni critiche nei confronti del femminismo o del separatismo nero, equivale a fare propria la logica dei fondamentalismi contro Rushdie. Non è un caso, infatti, che il cerchio dell'intolleranza si chiuda: non solo chi critica il femminismo è contro le donne, chi critica Malcom X è contro i neri, ma il direttore di un giornale viene sospeso per una vignetta satirica contro l'*affirmative action* (ivi, pp. 144-45). Chi non è d'accordo con il *Pc* diventa *ipso facto* un intollerante e un razzista, e le sue proteste in contrario saranno la migliore prova a suo carico. Logica dell'autoreferenza e dell'autoconferma totalitaria, del cappello d'asino maoista: se neghi le accuse del partito (di essere antipartito), questa è la migliore dimostrazione che sei davvero antipartito.

Il movimento del *politically correct* non è solo fuorviante rispetto agli obiettivi che proclama (maggiore giustizia sociale), ma anche pericoloso, poiché la sua azione finisce per accreditare la pretesa della destra americana (che fu maccartista e forse lo è ancora), di essere oggi il baluardo del Primo emendamento. Il *Pc* rimuove irresponsabilmente alcuni pericoli. Nella logica della contrapposizione fra comunità, infatti, anche le minoranze reazionarie (quella antiabortista, per esempio) cominceranno a esigere la protezione delle quote e altri privilegi. E nel diffondersi del separatismo, anche le maggioranze cominceranno a organizzarsi, e le comunità forti del «bianco è bello» potranno prevalere senza piú sensi di colpa: la logica del *Pc* legittima anche loro, infatti. Se volersi *individuo* è atteggiamento per definizione reazionario, gli individui reazionari praticheranno l'arma della comunità, che da sempre è la loro, e avranno uno strumento in piú per opprimere.

La storia non insegna nulla, naturalmente. Sarà comunque utile non dimenticare che il sistema delle quote fu già sperimentato nella Cecoslovacchia di Gottwald e nella Cina di Mao e Lin Biao. E che l'idea stessa di una *correctness* nel pensare è bigottismo da libretto rosso, o da catechismo di pasdaran del papa che teorizzano come valore supremo la *libertas Ecclesiae*, o da sciovinismo reazionario del *wrigh or wrong my country*.

Sia chiaro, il *politically correct* viene spesso respinto dall'opinione pubblica americana per motivi tutt'altro che nobili. In forza, cioè, di quel conformismo onnipervasivo che già Tocqueville aveva inequivocabilmente messo in luce: «Non conosco nessun paese dove regni in generale minore indipendenza di spirito e minore autentica libertà di discussione che l'America... La maggioranza traccia un cerchio formidabile attorno al pensiero. All'interno di questi limiti lo scrittore è libero, ma guai a lui se osa uscirne... In America la libertà di spirito non esiste» (Alexis de Tocqueville, *De la démocratie en Amérique*, Paris, Gallimard, t. I, pp. 266-67). Ma ciò significa solo che il *po-*

litically correct non è affatto la contestazione del conformismo americano, ma il suo specchio in seno al radicalismo dei *campus*. È zdanovismo. Forse non piace perché l'America degli establishment è restata maccartista, ma due illibertà di segno opposto non hanno mai accresciuto il tasso di giustizia.

Quella del *politically correct* è, in realtà, il surrogato consolatorio di una rivoluzione non riuscita, quella dei diritti civili e della compiuta cittadinanza *per tutti*. Ciò che la sinistra americana non è riuscita a ottenere nella società, cioè la fine di ogni discriminazione, si immagina di realizzarlo nel microcosmo delle università. In realtà, *in nome* degli oppressi, alcuni appartenenti alle classi medie si autopromuovono, perché neri o donne o omosessuali, rappresentanti di tutti i discriminati, e in tale veste esigono *privilegio*. L'oppressione nella società resta tale e quale, ma nei campus dello zdanovismo comunitario e femminista viene messo in scena un risarcimento simbolico con il quale ristrette *élite* ideologiche lucrano il privilegio due volte: rispetto ai neri (alle donne, ecc.) realmente esclusi, e rispetto agli individui bianchi piú meritevoli. Per i diseredati autentici, il danno e la beffa.

Risentimento e rassegnazione.

Concludiamo. Due modalità irriducibili di produzione dell'identità si fronteggiano. Una poggia sul dispiegarsi della domanda, e alimenta la differenza dell'individuo critico. L'altra privilegia la certezza della risposta collettiva, che rende già colpevole l'intenzione stessa dell'interrogare. La comunità è perciò il *conformismo della differenza* e il multiculturalismo niente altro che la *differenza dei conformismi*, la teorizzazione e la pratica della differenza come convivenza di obbedienze coatte, mosaico di illibertà: *cuius religio, eius regio*, a ciascuno la differenza della sua ineludibile oppressione in quanto individuo.

I ghetti multiculturali delle etnicità, esaltati con improvvido orgoglio, non rendono probabile il successo collettivo in luogo di quello individuale, ma semplicemente perpetuano e fissano la condanna per tutti alla emarginazione, la *razionalizzano* (nel senso di Freud), e mascherano da risentimento sprezzante una rassegnazione definitiva resa collettivamente vincolante. L'odio del gruppo per l'individuo che emerge a scuola, l'ostracismo e l'isolamento che lo colpisce, bolla di tradimento la semplice prospettiva di emancipazione individuale. Riuscire è tradire, perché *uscire* è considerato tradire, nella logica della banda, del ghetto, della comunità, che non vuole conoscere né riconoscere individui. Ma il risultato non è la coesione nell'eguaglianza, e un modello sociale alternativo all'*american way of life*, bensí il rafforzamento dei suoi aspetti piú esecrabili.

Capitolo ottavo

La scommessa delle libertà

La nostra eredità non è preceduta da nessun testamento.

RENÉ CHAR

È tempo di tirare le somme. L'uomo è l'animale capace di pronunciare il no. Quel no creativo con cui incessantemente inventa la propria «natura». La modernità, e ancor piú la democrazia che ne costituisce il volto politico, promettono *autonomia* per tutti e per ciascuno: società aperta, e non già verità e obbedienza assegnate. Pure, oggi come non mai, rischiamo di rassegnarci all'esistente. Di razionalizzare il costituito, poiché ci manca il coraggio di sfidarlo. Dilaga cosí il «buon senso» di un alibi pazientemente costruito, che impone di scegliere fra esistente e reazione, agghindando eventualmente quest'ultima di innocue barricate immaginarie o di accattivanti mostrine spirituali.

Non abbiamo piú nostalgia di futuro, stiamo cioè rinunciando alla capacità di creare presente. E la nostalgia di fedi e radici che assedia da ogni dove è solo il travestito oblio della speranza, spostata dal futuro che si chiude al passato che si idoleggia. Il venir meno della speranza nella forma di rimozione di questo dileguare è il vagheggiamento di giustificazione con cui circondiamo la nostra rinuncia all'impegno, che al tracollo della speranza fornisce il decisivo apporto.

Da ultimo ci eravamo rassegnati all'esistente nella forma piú festosa e tragica, quella escatologica della rivoluzione comunista (l'azzeramento dell'esistente, la pagina bianca del presidente Mao, questa dismisura di rassegnazione). Ora ci stiamo piegando all'esistente cullandoci nelle lussureggianti narcosi ermeneutiche della postmodernità o nelle edificanti solennità melodiche di un realismo politico immaginario, che consente di non intervenire, con buona coscienza e migliori sentimenti e ipocriti ventagli di rispetto per l'altrui sovranità, ovunque i diritti civili e umani vengano villipesi e straziati in quantità industriali.

La critica è vacante. L'impegno latita. A occupare proscenio e anime, torna perciò arrogante e trionfante il fanatismo oscurantista in tutte le sue sante seduzioni e laiche metamorfosi. La rassegnazione all'esistente ha oggi bisogno di strategie culturali sofisticate e di supplementi d'anima in overdose, del resto, poiché si tratta di rimuovere questa inedita circostanza: con il venir meno dei due blocchi e della minaccia atomica, diveniamo responsabili per ogni ingiustizia, poiché ogni angolo del mondo è a portata di mano. Oggi, *possiamo* agire, senza più alibi. E quando non vogliamo, poiché metteremmo a repentaglio il privilegio dell'Occidente come cantuccio di tranquillità opulenta, dobbiamo liberare massicciamente le tossine della rimozione. Per egoismo di quieto vivere, infatti, stiamo rinunciando a prendere sul serio il carattere universale del patrimonio di valori (i diritti civili) che ci fonda e giustifica.

Oltre il *limes*, se la sbrighino i barbari fra loro, nello scannatoio della nostra virtuosa non ingerenza. Alla universalizzazione dei diritti civili rinunciamo per viltà, dunque, ma tanto più camaleonticamente la dobbiamo spacciare per ideologica virtú. Il «realismo» delle cancellerie consente miracoli, naturalmente, esattamente come l'irenismo dei pacifisti. Poiché nessun intervento può realizzare i diritti civili tutti e subito, inutile impegnarsi a crearne le premesse, a salvaguardarne le più elementari precondizioni. La paura di essere gendarmi del mondo nasconde la rinuncia a essere custodi dei diritti civili, questa fragilissima *invenzione* contro natura, che esige perciò la cura piú sistematica e intransigente. E invece, poiché rimozione *oblige*: anziché mettere in conto all'Occidente l'ipocrisia dello scarto fra il dire e il fare, la sua distanza ancora abissale dalle promesse del disincanto, lo si imputa di peccaminosità proprio per quei lumi, per quelle libertà. Per quel progetto, non per il suo mancato adempimento.

L'universalismo dei diritti civili è la felice dannazione dell'Occidente, la sua ineludibile pietra d'inciampo. Il ciascuno dei diritti civili o è concretamente universale o non è. Se rinuncia a questa ossessione, e alla sua costante approssimazione pratica, rinuncia a se stesso. Non già perché l'universalismo sia il bene finalmente scoperto ma da sempre consegnato nelle fibre del cosmo (come favoleggiano i cognitivismi etici di ogni foggia e livrea). Al contrario, piuttosto. Perché artificio precario ma irrinunciabile, e costitutivo della modernità. Senza la cura intransigente e costante, armata di critica sempre e di armi quando inevitabile, il ciascuno viene trascinato nel buco nero dell'ipostasi (cosa altro sono, del resto, fedi e ideologie?) di un Soggetto collettivo che lo sussume, ne avvilisce la singolarità, ne cancella l'irripetibilità. Le funzioni sono riproducibili, non le umane esistenze.

Il primato del tu.

Perciò vi è un primo spartiacque, che condiziona le ulteriori scelte di valore anche in un universo di complessità tutt'altro che dicotomica: la decisione per l'eresia, i diritti civili, il rischio della scelta, la legalità, oppure la sicurezza dell'obbedienza, l'ethos delle radici, la verità del gruppo. L'orizzonte del dissidente o la dimora del conformista. L'esserci come frammento o come pegno di totalità. L'orgoglio di cittadinanza o il fanatismo di appartenenza. L'etica della rivolta o la dogmatica del risentimento. L'io che si riconosce nel tu che ciascuno innanzittutto è, o l'io che si esalta nell'ipertrofia del noi. L'individuo della finitezza che nasce una sola volta e con il quale muore il mondo, o il replicante dell'essere che con il suo ciclo mortale rinnova l'eternità. Si tratta di scegliere chi siamo, insomma, cioè chi vogliamo essere: individuo o ipostasi, io/tu o io/noi.

Postmodernità è anche il nome della tentazione di eludere questa scelta. La modernità è ancora una posta in gioco, infatti, e non l'approdo ormai colonizzato di cui staremmo metabolizzando l'alienante frutto. Abbiamo deciso di essere postmoderni quando eravamo appena in vista della modernità, e anzi già in scarto da essa e in tradimento del suo disincanto. Il postmoderno è allora spesso elusione e fuga dall'adempimento piú che mai attuale della modernità non realizzata. Alibi per rassegnarci alla premodernità in cui ci aggiriamo, decisione che la possibilità della modernità sia da considerare già per sempre trascorsa. La lucidità e il fascino di talune analisi filosofiche dell'oggi in chiave postmoderna, hanno comunque il torto dell'acquiescienza ad una etichetta che suona rassegnazione, benché elegiaca. Per il resto, postmodernità è la favola raccontata per deresponsabilizzarci dalla modernità lobotomizzata, la frivolezza del margine e dello sprone che ci vuole assolvere per l'evasione dal compito inesauribile di colmare lo scarto. Illusorio, oltrettutto, questo dispiegamento di acrobazie linguistiche e altri tesori seduttivi, questa apologia dell'esistente dissimulata da inomologabile oltrecritica, poiché la rinuncia alla modernità torna ad assediarci come rimorso: l'eguaglianza sobria e senza fedi del disincanto resta la nostra sola legittimazione, e l'orizzonte libertario della convivenza come potere condiviso il nostro inaggirabile compito.

Chi sostiene che la modernità è gia stata realizzata, e ha fallito, dimentica che la nostra è l'epoca della tecnica dispiegata, non ancora però della dispiegata cittadinanza. Della stanca e inesauribile passione per i consumi, non della attiva con-passione per il relativo dell'esistenza. La modernità effettivamente esperita resta quella lobotomizzata e asimmetrica: oltre l'immaginabile nel rapporto con le cose, appena agli esordi nei rapporti fra gli individui. Né si vede perché la dismisura del primo aspetto dovrebbe avere nell'indigenza del secondo la sua conseguenza e il suo fatale corrispettivo. Si potrebbe sostenere esattamente l'inverso.

L'ipotesi del disincanto tradito, e dunque di una modernità ancora da compiere, non viene messa in scacco dalla richiesta piú volte avanzata[1] delle generalità precise, nome congnome e dati anagrafici, del presunto «traditore». In questa obiezione fa ancora capolino il pensare per ipostasi. Il progetto della modernità non è qui inteso, *mai*, come elaborazione di un Soggetto, tradita successivamente da un ulteriore Soggetto. Per progetto del disincanto qui si intende «solo» il convergere stravagante e l'improbabile precipitare alchemico, di circostanze storiche, intenzioni culturali, istituzioni, valori, follie, tutti animati da autonome ragioni. Un sabba di contingenza è all'origine di quello che a posteriori si presenta come compiuto progetto. L'Occidente è piú che mai un accidente.

Quel progetto potrà perciò essere «descritto» secondo

[1] Da ultimo, con efficacia e passione: Alessandro Dal Lago, *Non ricominciamo la guerra di Troia*, in «MicroMega», 3/1991.

angolature interpretative diverse, la cui *scelta* è in realtà prospettica, e governata quindi da un dover essere (in genere sottaciuto) che l'ermeneuta *impone* al progetto stesso. Non tutte le sottolineature sono tuttavia egualmente plausibili o indifferentemente arbitrarie. E nessuno ha mai potuto disconoscere come modernità sia, anche ed essenzialmente, rivendicazione e svolgimento (fino alle sue estreme conseguenze) di una duplice manifestazione del disincanto del mondo: quello che la scienza galileiana e newtoniana compie nei confronti della natura, e quello che l'eresia nel suo dilagare compie rispetto alla collocazione degli uomini. Ma proprio la conseguenza estrema di questo secondo aspetto, cioè la sovranità degli individui, è stata solo timidamente avviata e poi internamente contraddetta.

Questo tradimento può anche essere dichiarato costitutivo della modernità, che dunque proprio perché tradita sarebbe realizzata. Tanto piú che il tradimento della modernità si spinge fino alla rimozione postmoderna del tradimento stesso. In questa seconda obiezione, ad affacciarsi è l'eterno ritorno del mentitore di Creta, attivissimo quando mancano argomenti piú convincenti. Rispondiamo, allora, che la modernità è sempre stata *anche* scarto fra il suo dire e il suo fare, e che quando si auspica una decisione per il *compimento* della modernità, si sta «semplicemente» scegliendo contro il permanere e l'allargarsi di questo scarto che la modernità anche è, e ci si sta impegnando per approssimare il versante di cui lo scarto manifesta l'indigenza e il tradimento: la logica dell'eresia, che deve compiersi nella forma dispiegata di cittadinanza come autonomia.

Senza *questo* individuo non si dà modernità perché non si dà modernità *intera*.

Ma l'Occidente realmente esistente ha fin qui penalizzato l'individuo reale a vantaggio dell'*ideologia* individualistica. Ha promosso il *replicante* che si conforma al criterio imperioso del successo (il reale perciò razionale, dai cieli hegeliani agli inferni leninisti ai purgatori dello yuppie) e allo stordimento gratificante del mass medium, contro la singolarità estrema della scelta libera e mai irreversibile, del nomadismo fra le diverse sfere dell'esistenza, dell'eguaglianza di chance, del potere simmetricamente condiviso. Questo è l'Occidente realmente esistente da criticare, da ri-formare, a cui non rassegnarsi. In nome di un altro Occidente che, pur minoritario, frammentario, dissidente, ne costituisce l'orgoglio e anche la specificità: quello di Ockham e Montaigne, di Arendt e Camus, della critica per l'individuo e della con-passione per la solidarietà.

Fin qui abbiamo avuto modernità senza disincanto, hybris di tecnica e latitanza di cittadinanza e regresso dello spirito critico negli eden delle obbedienze comunitarie per inzuccherare la rimozione dello scarto. Proviamo dunque ad affrontare la crisi dell'Occidente prendendo sul serio il disincanto in tutta la estensione delle sue conseguenze spirituali e pratiche. Se il disincanto resta solo negazione scettica della fede, e il suo abito critico sa creare solo dominio sulle cose, infatti, il ritorno trionfante di fedi e superstizioni entra nell'ordine dell'altamente probabile. Se la critica non apre alla speranza, e non investe radicalmente il rapporto fra gli uomini, e non prelude alla costruzione della città come simmetria di dignità e di chance, il bisogno di speranza annienterà ogni speranza di critica.

Cosa comporta allora disincanto come cittadinanza, come dispiegata democrazia *presa sul serio*?

Inventare la democrazia rappresentativa.

La critica alle inadempienze della democrazia moderna, coeva al nascere della democrazia stessa, ha rapidamente assunto la fisionomia di un rifiuto perentorio e noncurante della democrazia rappresentativa proprio in seno al movimento operaio, cioè a quel «numero» senza la cui partecipazione e adesione una democrazia per definizione non è. Perversa spirale: il mondo borghese e dei poteri costituiti paventa la democrazia come anticamera di anarchia e comunismo, e la realizza perciò in dosi omeopatiche (e la condisce di vessazioni poliziesche), giustificando diffidenza e sospetto dei lavoratori contro questa democrazia per pochi spacciata quale non oltrepassabile democrazia *tout court*. Tragedia degli equivoci: la subalternità culturale delle classi sfruttate, perfettamente nota a Marx, si manifesta proprio nella subordinazione operaia (e specificamente marxista e leninista) al punto di vista degli establishment, cioè nella identificazione della democrazia realmente esistente, per pochi, miserabile e monca, con la democrazia *sans phrase*. Di modo che il movimento socialista rifiuterà la democrazia rappresentativa, pur abbracciandola come strumento di lotta, e si dannerà nel compito di superarla/inverarla (impagabile espressione di una metafisica delle tre carte).

Si trattava, invece, di immaginare una democrazia autenticamente rappresentativa. E piú che mai oggi questo è il compito: *inventare* istituzioni di democrazia rappresentativa, poiché quelle esistenti mostrano non tanto dei limiti ma l'effetto perverso di produrre nomenklatura, sottrazione di sovranità, disaffezione dei cittadini che si sentono sudditi impotenti. Inventare un'*altra* democrazia rappresentativa è talmente difficile che forse anche per questo si è fin qui preferito oscillare fra apologia dell'esistente e idoleggiamento della democrazia diretta. Mentre il problema attuale delle democrazie si chiama effettività della rappresentanza e mette in discussione radicale la compatibilità fra democrazia delegata e dispiegato professionismo politico.

Se la politica come vocazione, come *bricolage* cui ogni cittadino possa dedicare qualche frammento del proprio tempo libero, cessa di avere una qualsiasi funzione cruciale e influenza rilevante, e se la politica come decisione e anche come controllo si trasforma di fatto in *mestiere*, incompatibile impermeabile e separato, dunque, rispetto alla vita di lavoro di ciascuno, la cittadinanza viene *sottratta*, la politica *privatizzata*, posta sotto sequestro. Cessa con ciò di essere potenza *pubblica*, rappresentanza e *funzione* dell'essere/insieme, e surrogando quest'ultimo diventa potenza privata dedita al trafficare con altri privati interessi. Ne consegue una spirale viziosa (dal punto di vista della democrazia. Ma piú che «virtuosa» dal punto di vista del politico di mestiere): la politica monopolizzata dalla corporazione degli addetti ai lavori, poiché non offre piú al cittadino possibilità autentiche di scelta (i candidati che possono farcela sono sempre piú *bonnet blanc* e *blanc bonnet*), alimenta dapprima frustrazione e rabbia ma poi disaffezione e apatia. Il che rafforza il monopolio dei politici di mestiere.

Lungo questa spirale, la politica/macchina e la politica/spettacolo celebrano i propri fasti. Provvisori, tuttavia. Frustrazione e rabbia continuano a covare, e oltre una certa soglia qualsiasi catalizzatore può chiamarle a raccolta. Contro la democrazia, spesso, ma in nome di una sacrosanta istanza democratica che i «professionisti» della politica hanno umiliato e irriso. Le Pen in Francia, Perot negli Stati Uniti, Bossi in Italia, e una miriade di aspiranti demagoghi populisti nelle pre-democrazie dell'est, costituiscono i sintomi non ulteriormente occultabili del deficit di democrazia rappresentativa che la politica come mestiere ha inoculato nelle istituzioni occidentali. Un deficit che rischia di mutarsi in metastasi.

Di piú. La democrazia rappresentativa è un regime che non tollera doppiezza. Qualche apologeta dell'esistete sostiene invece che addirittura la esige, poiché nessuna democrazia effettiva potrà mai realizzare il concetto. Ma è questione di soglia e di direzione di marcia, ovviamente. Si tratta di sapere se la distanza rispetto all'ideale esprime un *non ancora* o un *già piú*, se manifesta tensione di approssimazione o alimenta, accresce, teorizza lo scarto (fino al tentativo di rimuoverne l'esistenza). La democrazia moderna, proprio perché è rappresentanza, autonomia, diritti, potere collettivo *mediato*, in altre parole democrazia *formale*, non può essere finzione senza rischiare la distruzione (ed entrare intanto in eclissi). Altre forme di potere restano legittimate anche nell'inganno. Un inganno riuscito può valere addirittura come giudizio di Dio e *unzione*. Ma dove unica fonte di legittimazione è il ciascuno e la legalità nell'esercizio dei poteri, la menzogna, la doppiezza, l'inganno, la finzione distruggono l'*ubi consistam* della legittimazione democratica.

Esso recita: voto libero ed eguale, e implica perciò legalità, informazione, trasparenza, impossibilità che il suffragio possa diventare merce di scambio. È dunque incompatibile con l'intimidazione, la corruzione, la manipolazione, le posizioni di vantaggio (e tanto piú il loro monopolio). Proprio il carattere *formale* della democrazia moderna esige politiche *sostanziali* che la rendano possibile, la difendano, la promuovano. Ogni regime ha bisogno di un ethos che sostenga le proprie istituzioni, e di istituzioni che quell'ethos alimentino. Lo Stato democratico rappresentativo non può accontentarsi delle pur alte virtú che Machiavelli richiedeva per i sovrani degli Stati nazionali. Esige qualcosa di piú. Il rifiuto dell'ipocrisia non solo nella descrizione della politica ma nella pratica della politica.

Del resto. Se oggi in tutte le costituzioni sono solennemente scolpiti gli stessi principî, e se gli stessi valori risuonano in ogni programma e discorso elettorale, la discriminante politica per eccellenza diventa proprio il tasso di ipocrisia (o viceversa di coerenza) manifestate dalle diversissime peculiarità del fare rispetto a un dire sempre piú indistinto. Intesa in questo senso (e non come moralismo della camera da letto, secondo un deprecabile e illiberale vezzo americano e inglese), la *questione morale*, cioè l'intransigenza in fatto di legalità, di trasparenza, di coerenza, nelle strutture istituzionali e nei comportamenti pubblici, costituisce la questione politica per eccellenza per una democrazia che aspiri ad avere futuro.

È perciò necessaria *piú* politica, non meno. I teorici del governo minimo mancano il bersaglio principale, poiché trascurano che proprio in vista anche della semplice buona amministrazione, è indispensabile una partecipazione intransigente dei cittadini al potere con-diviso, controllo e antidoto contro la deriva di illegalità e corruzione, prevaricazione e inefficienza (e tentativo di eludere la divisione dei poteri), che la privatizzazione del potere politico in forma di mestiere si trascina dietro.

Etica e idolatrie.

Il revival di religioni costituisce allora, proprio come il movimento del *politically correct*, una delle forme di ritorno alle radici che nasce dalla delusione della cittadinanza promessa ma sottratta. Contestazione sacrosanta epperò reazionaria dell'esistente. Populismo nutrito delle intenzioni piú nobili e delle motivazioni piú urgenti, magari, e nondimeno reazionario. Wojtyła è questo: umanesimo reazionario. Umanesimo reazionario integrale, per riecheggiare un filosofo cattolico non particolarmente amato.

Sia chiaro, tuttavia: nei meandri della disperazione metropolitana, nelle *favelas* dell'iniquità che grida vendetta, nei corni d'Africa della morte per inedia, ovunque vi sia concreto aiuto alla sofferenza e riparo all'orrore, lí spesso è un credente. E l'ateo libertario in cerca di giustizia si sentirà piú vicino e piú *simile* a quel credente, che agli infiniti scettici e altri «realisti», adusi a piegare e degradare le ragioni critiche della laicità a baluardo dell'esistente, a nuovo *instrumentum regni* di egoismo e sopraffazione, a sinonimo di affarismo e mancanza di scrupoli. È perfino possibile aprirsi al sospetto che senza motivazione religiosa venga meno la spinta alla solidarietà verso gli ultimi intesa come azione concreta e personale.

E tuttavia, questi non diventano buoni motivi per nascondersi che la fede è surrogato, freudiana illusione, anelito di consolazione per esorcizzare la finitezza. D'altro canto in forza della religione sono stati compiuti i gesti piú sublimi della carità silenziosa e invisibile, ma in nome della religione sono state egualmente perpetrate le piú immonde devastazioni dell'umana dignità. La spezia celeste ha indifferentemente accompagnato l'abnegazione e la prevaricazione, la carezza e il sangue. E la voce che tuona di irrinunciabile indignazione contro l'egoismo dei popoli ricchi è la stessa che preferisce il dilagare della morte per Aids al peccato del preservativo e della siringa monouso.

C'è fede e fede, del resto. Qui non è questione della fede come indicibile esperienza del singolo, e per la quale vale rigorosamente l'ammonizione di Wittgenstein che chiude il *Tractatus*: «Su ciò, di cui non si può parlare, si deve tacere». E non stiamo neppure parlando della fede che pure vuole dichiararsi, e dunque giustifica la scepsi della critica, ma intende restare personale testimonianza di vita. Qui stiamo parlando soprattutto della religione che pretende di imporre la sua presenza e le sue preferenze morali attraverso la legge dello Stato, *erga omnes* e per il loro bene, ovviamente, e non del credente che sceglie di condividere la sofferenza, di non esibire la propria fede, e di rispettare senza riserve mentali la libertà morale del laico.

E allora. È pur vero che la modernità ha prospettato disincanto ma ha prodotto nuovi dèi, ha disseminato di *idola* i territori promessi alla critica. Proprio questo mancato diffondersi del disincanto, allora, e non il disastro di un suo fallimentare compimento, viene manifestato dal ritorno attuale alle fedi. La crisi della modernità va dunque prospettata nei suoi termini esatti: l'Occidente deve ancora diventare Occidente. Con ciò è già indicato il crinale di una possibile, benché assai difficile, soluzione. Addirittura improbabile, se si vuole, e tuttavia l'unica.

L'integralismo cattolico, invece, giudica la fede «atea» del comunismo quale inveramento della laicità liberale e libertaria, e nel fallimento del primo vede naufragare tutto il progetto moderno: la secolarizzazione che ne costituisce la premessa e l'individuo smarrito che ne costituirebbe la vittima. La terapia recita dunque: fede, obbedienza, comunità. Assoggettamento dell'individuo. Ma lo scarto che la modernità anche è, consiste proprio in ciò, nell'aver eluso il costituirsi di una società di individui. Domina *l'ideologia* dell'individuo, abbiamo visto, ma viene contrastata e angariata proprio la diffusione dell'individuo autonomo, emancipato da fedi conformismi e appartenenze, in grado di autodeterminarsi. La società illiberale e anti-individuale di massa che è ancora troppo spesso la nostra, privilegia gli automatismi dei riti collettivi, il neocorporativismo delle appartenenze, la sottrazione di cittadinanza della politica/macchina, della politica/spettacolo, della politica/trafficare. La riduzione dell'individuo a replicante. Ma contro l'oppio di queste obbedienze anonime, il ritorno ad altre obbedienze, personali e di gruppo, di chiesa etnia o ideologia, non costituisce soluzione bensí ulteriore fuga.

Riassumendo. La modernità promette, quale dispiegamento di disincanto, non solo il potere della tecnica ma le libertà dell'individuo nell'impegnativa e ineludibile forma di universalizzazione della simmetria della dignità e delle *chance*. Questa comunque la nostra legittimità, in nome della quale è stato possibile *proporsi* di rinunciare agli antichi dèi e dèmoni, della terra del sangue e dell'odio, e all'universo delle superstizioni. In altri termini: la mela di Newton, la mela del disincanto, la mela della conoscenza come liberazione, se vuole sostituire la mela di Adamo, la mela della colpa, la mela della conoscenza come peccato, non può limitarsi alla scienza. Deve essere accompagnata dalla *invenzione* (tutt'altro che scientifica, tecnocratica, cosificatrice, dunque) di una con-vivenza libertaria adeguata. O ciascuno potrà vivere quotidianamente l'esercizio delle libertà come potere condiviso, o la paura della solitudine e della dismisura fabbricherà in serie, lungo la catena di montaggio dell'individualismo replicante, la nostalgia di peccato liberatorio e di obbedienze rassicuranti.

L'ideologia di Karol Wojtyła è dunque l'anatema che occupa lo spazio di una speranza delusa, e può quindi presentarsi come speranza estrema, benché sia frutto rimosso di rassegnazione. Cosí come il *politically correct* è il risentimento che occupa lo spazio di una rivolta civile

mancata, e può quindi spacciarsi come rivoluzione radicale, benché sia solo schermo e consolazione per una
sconfitta rimossa. Ma anatema e risentimento costituiscono solo devastanti surrogati di speranza ed esorcismo ag-
gressivo contro la disperazione da finitezza.

Il mistero e il disincanto.

Ma è davvero utopia la conquista del potere con-diviso
(legalità, rappresentanza effettiva, *balance des pouvoirs*,
politica come *bricolage*) e la diffusione delle libertà? È solo ossimoro (dunque *poesia*) la passione per il relativo? I
frammenti di risposta implicita fin qui esposti[2] suggeri-
scono piuttosto l'ipotesi dell'incertezza, forse della improbabilità, dunque anche della *possibilità*. Del resto, «è
perfettamente esatto, e confermato da tutta l'esperienza
storica, che il possibile non verrebbe raggiunto se nel
mondo non si ritentasse sempre l'impossibile» (Max Weber, *Il lavoro intellettuale come professione*, Einaudi, Torino 1966, pp. 120-21). Cambiare il mondo si può, visto che
comunque cambia di continuo, mentre non si può mai essere certi dell'inanità del nostro agire, del fallimento del
nostro impegno. Anche se continueranno a insinuare il
contrario i molti cui l'assetto dell'esistente fa comodo cosí
com'è, e a produrre con inesausta fantasia alibi e consolazioni, e perfino tesori di cultura, per convincere che è solo
sogno il disincanto e chimere le sue libertà e giustizia.

Il disincanto fa paura poiché costituisce la risposta alla
millenaria domanda sul senso. L'abbagliante buio di assenza del segreto finalmente scoperto: non vi è senso alcu-
no già consegnato nel cosmo, possiamo solo industriarci a

---

[2] Altri elementi «costruttivi» sono stati esposti dall'autore in: *Il disincanto
tradito*, «MicroMega» 2/86, e *Esistenza e libertà*, Marietti, Genova 1990.

inventarlo, provvisoriamente. Dobbiamo, anzi, poiché senza senso non si dà esistenza. Le cose semplicemente *sono*. Cosa significa tutto ciò che sta intorno a noi, e noi in esso? Cosalmente, nulla. Il significato che tu saprai dargli, e nulla piú. Non vi sono cromosomi di senso già da sempre iscritti, e l'intenzionalità non è moneta che abbia corso nel cosmo, tranne a partire da quel coriandolo di galassia e nanosecondo geologico e trascrizione inesatta del Dna di un primate, che tutti noi siamo.

Non vi è mistero da svelare. Mistero è stato un tempo anche il nome della volontà di conoscenza. Ma mistero è ormai solo il nome che diamo al sapere che non troviamo il coraggio di sopportare. Non c'è significato da scoprire negli *enti*, che con gli *accadimenti* esauriscono la realtà, epperciò *essere* è sempre stato il nome attribuito a quella vagheggiata speranza dal nostro bisogno di illusione. Ormai *sappiamo*, irrimediabilmente, la risposta alla domanda sul senso: nulla. Malgrado i ciclopici e instancabili sforzi di rimozione, perciò, forse una scheggia di quel sapere impedirà sempre anestetica tranquillità al sonno della ragione. Forse la mela è stata davvero addentata irreversibilmente. Perciò: *creare* senso. E con-senso. Se ci riesci. Questa la tua inaggirabile libertà. O il fallimento che alimenta le tue nostalgie.

Questa la grande paura (la stessa che ci impedisce di formulare cosí l'interrogativo fondamentale: perché il *bisogno* di Essere, e non piuttosto gli enti?): la paura della responsabilità. Poiché *possiamo* (forse e improbabilmente), e siamo colpevoli se non realizziamo (se non tentiamo), dobbiamo tornare a vezzeggiare la nostra impotenza, a teorizzare la legge naturale, il dominio della tecnica, il destino. Il fato è il nostro alibi e la nostra assoluzione. E nel rinunciare ad approssimare la modernità libertaria ed egualitaria del disincanto, mobilitiamo e arruoliamo anche la catastrofe del comunismo, spacciandolo come progetto e inveramento smisurato di quel disincanto. Quando era, proprio all'opposto, *surrogato* di fedi e incantamenti, apologia di un *processo* già iscritto nel destino della storia, anziché improbabile e arrischiato *progetto* di umano dover essere.

Col disincanto abbiamo realizzato la potenza ma abbiamo dovuto anche prendere atto della finitezza. *Inconsolabile* è la responsabilità che questa indissolubile endiadi ci scaglia addosso, poiché le realizzazioni della potenza saranno sempre sopravanzate dalle curiosità della fantasia. «Nessuno muore [oggi più] dopo essere giunto al culmine, che è situato all'infinito. Abramo o un qualsiasi contadino dei tempi antichi moriva "vecchio e sazio della vita"... ma un uomo incivilito, il quale partecipa all'arricchimento della civiltà in idee, conoscenze, problemi, può divenire "stanco della vita" ma non sazio» (Max Weber, cit. p. 20). L'appagamento non è più di questo mondo. «Siamo smembrati tra l'avidità di conoscere e la disperazione di aver conosciuto» (René Char, *Feuillets d'Hypnos*, in *Oeuvres completes*, Gallimard, Paris 1983, p. 184).

Di fronte a questa condizione, moltiplichiamo le strategie di fuga. Le abbiamo già incontrate: razionalizzazione, rimozione, consolazione, assoluzione. Terrorizzati dalla responsabilità di essere padroni del senso e della norma, cerchiamo rifugio ovunque. Nei vincoli della comunità di terra e sangue, nelle radici delle fedi, nelle nostalgie di una norma oggettiva, nell'illusione delle equivalenze postmoderne. Sempre e tuttavia nell'Essere, comunque trasmutato, per esorcizzare così il carattere *entico* del finito. Tutta la storia della filosofia moderna potrebbe del resto essere interpretata come inesausto esorcismo contro la finitezza, a più riprese incontrata e inequivocabilmente scoperta (almeno a partire da Kant), ma poi immediatamente tradita e rimossa nella restaurazione di finalismo o di eterno, dall'Eterno ritorno all'Origine, dal Destino, all'Oltrepassamento nel piú originario che non l'Essere, e agli infiniti travestimenti metafisici che l'orrore per la finitezza e la fatica di essere individui incessantemente rinnova.

L'Essere. Cioè una identità *Altra* che ci liberi dal male del finito e delle libertà. Ma la democrazia è proprio la scommessa di un luogo che fornisca identità *propria* agli individui, senza perciò costringerli a identificarsi col soggetto collettivo (una soggettività ipostatizzata – come spesso il soggetto nella tradizione filosofica anche contemporanea – è piú che mai anch'essa una identità altra, alienata), in opposizione a una storia che ha fin qui imposto, innanzittutto socialmente, la logica – religiosa – dell'identità Altra[3]. La democrazia è la terra promessa dove «non l'Uomo, ma gli uomini» (Hannah Arendt, cit. p. 7) sono gli irriducibili e plurali soggetti. Rigorosamente, epperciò liberamente.

Ci si deve allora domandare: è la difficoltà ad abbandonare una identità Altra per tentare la via dell'identità nostra, è il permanere oscuro del timore di essere individui, la fatica della singolarità responsabile, il rischio di una solidarietà inafferrabile perché da costruire fra persone autonome e non piú assegnata come servitú delle obbedienze, è tutto quanto di sradicamento comportano le libertà, a mettere in crisi la democrazia non appena essa tenta di essere ciò che il nome vuole, *per tutti*? In America Tocqueville vedrà già all'opera, con universale successo, l'anticorpo illiberale del conformismo, in Francia l'ossessione dell'Uno aveva già officiato col sangue delle ghigliottine, dappertutto infine, fino ai nostri giorni, i partiti di massa consentiranno anche all'escluso (il lavoratore, l'analfabe-

---

[3] Su questo tema cfr. Marcel Gauchet, *op. cit.* pp. 248 e sgg.

ta, la donna) l'accesso alla democrazia, ma solo se *inqua-drato*, accompagnando il diffondersi della cittadinanza con le tossine corporative dell'appartenenza. Virus silente, forse inevitabile (senza i partiti di massa è problematico immaginare quale via avrebbe potuto percorrere il tentativo di estensione universale della democrazia) ma che manifesta oggi, nella eclissi della rappresentanza, i suoi pervasivi effetti perversi.

Oppure e viceversa, è la crisi della democrazia, sedimentata per altre e autonome circostanze, che facendo dileguare in fata morgana la realizzazione di una identità *nostra*, ci risospinge e ci esilia nelle identità rifugio delle fedi e delle radici di ogni uniforme? Come che sia, i nostri giorni sono percorsi in lungo e in largo dalle espressioni delle già richiamate strategie di fuga, prendano queste manifestazioni il nome di postmodernità o di rievangelizzazione, di fine della storia o di *politically correct*, di hybris dell'usa e getta o di terra e sangue, di politica spettacolo o di tragedia fondamentalista. Due costellazioni di versioni solo in apparenza opposte dello stesso anelito di fuga, capaci di coniugarsi e combinarsi senza difficoltà. Entrambe rifiutano l'approdo (l'appassionante *terra desolata* della ineludibile finitezza) che ingiunge: poiché vuoto di intenzionalità è il cosmo, e in questo è *nostro* il mondo, nessun Dio ci può salvare dalla responsabilità, che nostra unicamente resta. Era dunque contraffazione, la conclusione retorica dell'incantatore di Messkirch: nessun Dio ci può salvare, proprio perché *ogni* Dio ci salva dalla responsabilità e ci fornisce un alibi.

Il trionfo delle ipostasi.

Dunque. Sono tutt'altro che morte, le ideologie (i surrogati di Dio, o il surrogato di surrogati che ogni integralismo religioso è). Queste risposte mitiche, acritiche, affatturanti di genericità, a problemi autentici e urgenti, spesso anche lucidamente indagati (tranne per quei tratti che devono predisporre alla rimozione. Un esempio per tutti: la natalità del terzo mondo nell'analisi omiletica del papa polacco). E Karol Wojtyła è il grande ideologo, l'unico, di questa fine di millennio. La prassi di giustizia e carità di tanti credenti cattolici, con la sua autenticità spesso riverbera di credibilità anche le parole di anatema del romano pontefice, e sembra riscattarle dal fanatismo dei fulmini integralisti. Ed espone all'accusa di cattivo gusto, rendendola con ciò irricevibile, ogni critica senza riguardi. Esattamente come per anni accaduto con i comunismi di Occidente (Francia, Italia, Spagna, Portogallo): la passione per le libertà e la giustizia dell'agire quotidiano dei militanti, rendeva colpevole la critica del comunismo, poiché la esponeva all'accusa di oltraggio all'eroismo inconfutabile del «partito dei fucilati».

Ha dunque senso parlare di una «rivincita di Dio»?[4]. Più esatto, semmai, di trionfo delle ipostasi. Dio non è mai morto, infatti, come imprudentemente annunciato dal folle di Nietzsche (sognatore, dunque, più che lucido folle, almeno in questo), ma ha subíto semplicemente ulteriori metamorfosi surrogatorie. Religione del Progresso, o della Scienza (il contrario, cioè, non solo della pratica della scienza, ma anche dell'etica della scienza invocata da Monod), ma soprattutto religione dell'Ateismo nella forma comunista di *partitolatria*. Sempre maiuscole, sempre ipostasi, sempre fedi, funzionalmente equivalenti sotto tutti i profili – sociale, politico, emotivo – nella stessa logica di «verità»/obbedienza. Ma abissalmente differenti quanto a efficacia e capacità di resistenza, come il

---

[4] Secondo il bel titolo del già citato e assai interessante libro di Gilles Kepel.

tracollo delle fedi immanenti ha confermato. Del resto, perché l'originale trascendente non dovrebbe trionfare del cattivo surrogato e dell'empia imitazione mondani? Rivincita di Dio, allora, ma nel senso che mai come ora, nel corso della modernità disattesa, l'ateismo e la laicità illuminista e libertaria sono stati cosí emarginati e rifiutati dal senso comune della cultura, sia diffusa che «alta».

La fortunata stagione dell'antilaicismo e degli integralismi testimonia del grado insieme acuto e cronico assunto ormai dal disagio verso la modernità (dimezzata) che caratterizza l'Occidente, e verso la modernizzazione (piú che mai parziale e asimmetrica) che aveva sedotto il terzo mondo. Dalla delusione per le promesse non mantenute di tali processi e per l'incapacità non solo del marxismo ma anche del liberalismo effettivamente vigente (tecnica piú mercato, corretto da dosi di statalismo, ma sempre piú latitante di cittadinanza) di decifrare i problemi nuovi e di fornire a essi, e a quelli antichi ancora irrisolti, un credibile inizio di risposta. Ma le soluzioni integraliste e di ritorno alla religione restano peggiori dei mali che denunciano, poiché ne estremizzano la causa fondamentale. Circola ancora poco *individuo*, infatti, malgrado le promesse, e invece ci si propone di annullarlo del tutto.

Benché suoni blasfemo, allora, bisognerà pur osservare come il papa che passerà alla storia per aver demolito i comunismi, ne stia riproponendo la logica di «verità»/obbedienza, sebbene in forma soft. La logica dogmatica e illiberale che dalle anime (e dai corpi) non si stanca di esigere *correctness*. Quale che sia la Maiuscola Ipostasi in nome della quale si pretende il rassicurante e opprimente dazio.

È del tutto infondata, perciò, la voce che da qualche tempo viene trionfalmente diffusa tanto nella cultura credente che in quella che si vuole laica, secondo cui staremmo assistendo al passaggio dalle ideologie all'etica. Al tramonto delle prime e alla rinascita della seconda. Di questo si tratterebbe, in realtà, se dal piano delle pretese di «verità» sull'Uomo (quali che siano), si fosse passati al rigore sobrio del disincanto, al riconoscimento delle ineludibili responsabilità umane per le etiche, al plurale. L'essenza dell'ideologia, infatti, e che la caratterizza come simulacro e surrogato della religione positiva, consiste nello spacciare per ordine obiettivo dell'*essere* (comunque inteso: natura, storia, spirito, destino, eterno ritorno) un dover essere che non si ha il coraggio di esprimere come tale, cioè come *propria* irrinunciabile scelta. Inevitabilmente arbitraria nel suo estremo e primo presupposto di valore: l'io/tu (in cui il *noi* è sempre e solo incontro di plurali io/tu) o l'io/noi delle ipostasi (in cui rientra anche l'io/io psicoticamente ipertrofico dell'egocrate – *führer* o padre dei popoli, duce o grande timoniere – che si offre come incarnazione del noi). Ogni cognitivismo etico partecipa ancora dell'ideologia.

L'eclisse del sacro, cioè dell'obbedienza all'alterità, non sarà mai tale fino a che non coinciderà con il tramonto delle ipostasi, cioè di ogni idolatria. E non può essere occultato che se la fede è anche ipotizzabile come quell'estremo e insindacabile vissuto di cui «si deve tacere», capace tuttavia di motivare i comportamenti piú generosi e coerenti secondo il valore dell'io/tu, essa è anche, e diffusamente, soddisfacimento vicario e fantasmatico per le pulsioni di onnipotenza e i bisogni di eternità, oltre che di giustizia. Il ritorno del sacro è dunque la conseguenza della vera drammatica eclissi dei nostri tempi, l'eclissi della democrazia, e ne rappresenta la forma virtuosa e presentabile di rimozione e rassegnazione. L'eguale rapporto con Dio, questo incunambolo religioso epperciò ancora antinomico della libertà dei moderni, torna a sostituire la dispiegata galassia delle libertà secolarizzate, proprio perché l'eguaglianza politica dei poteri condivisi anziché approssimarsi dilegua. Ma in tal modo, non sfugge al suo destino di rovesciamento: essere imposta *ex cathedra* come eguaglianza dell'obbedienza al dogma e al suo pastore.

La scommessa della finitezza.

Perciò, e per concludere. Dobbiamo prendere sul serio Pascal, e scommettere sulla finitezza. Non ci sarà mai dato un dopo, infatti, nel quale scoprire che abbiamo una vita sola. Possiamo viverla cosí oggi, o mai piú. Alienazione è il rifiuto di accettare la nostra condizione di finitezza.

Scommettere sulla finitezza, e trarne qualche conseguenza.

L'individuo dell'*esistenza*, soprattutto. Che, eguale per *chance*, libero di nomadismo fra le diverse sfere della vita, solidale di potere condiviso, resta largamente da costruire. Obiettivo eversivo di una tradizione che è solo occidentale, minoritaria e dissidente, ma *ratio essendi* dell'Occidente stesso, sua differenza specifica.

Essere individui è contro natura, perché essere *umani* lo è. Fatica di Sisifo che una religione del Progresso ci aveva illuso fosse ormai premiata da conquiste irreversibili. Albert Camus sostiene che «bisogna immaginare Sisifo felice». Certamente. Rinnovare senza tregua l'impegno per l'essere individuo di tutti e di ciascuno, pur senza garanzia alcuna di successo, può costituire ragione di vita, e dunque di umana felicità. Purché Sisifo non abbia la *certezza* della definitiva sconfitta. Purché per noi resti aperta almeno la possibilità di poter *lottare* per le promesse di libertà e giustizia della modernità, oggi elargite per fram-

menti diseguali. Di lottare per l'emancipazione dall'esse-
re/Tutto (questa sublimazione della volontà di potenza
dell'io/noi), all'interno del quale ciascuno è in realtà nulla, poiché mera replica del sempre/già delle radici, e mero
conforme all'ermeneutica del potere, unico interprete autorizzato della verità Una. Quell'essere/Tutto che ha sempre bisogno, per costituirsi e sopravvivere, di realizzarsi
innanzittutto come essere/contro, come ostilità fondante
dell'identità e coesione collettiva. E che si tratta, invece,
di sostituire con l'essere/insieme degli individui del disincanto.

Contro la devozione dell'identità, dunque, si tratta di
sperimentare questa *etica della coerenza* rispetto alla finitezza del disincanto e alla scelta dell'io/tu (o forse, piú
esattamente, la coerenza di *questa* etica). Che coincide
con l'unica forma oggi adeguata e irrinunciabile di etica
della responsabilità: l'etica della democrazia (che si colloca esattamente agli antipodi dello «Stato etico»).

Ma l'etica della democrazia non ha nulla di ovvio, non
si impone affatto come irrefutabile «intuizione», non è
oggettiva, naturale, spontanea, e meno che mai razionalmente fondabile in modo conclusivo. Questi sono i sogni
del democratico nei momenti di vacanza acritica (assai
diffusi nelle filosofie morali accademiche), quando esige,
e perciò «scopre», garanzie per un progresso civile irreversibile. L'etica della democrazia è, nel suo fondamento
primo (l'io/tu a preferenza dell'io/noi e dell'io/io), una libera scelta, gratuita ancorché argomentabile con caledi-
socopici sillogismi. Contro chi non ha *passione* per la democrazia, ed è disposto ai prezzi devastanti della sua assenza, non potrà mai essere *dimostrata*.

Proprio perché la democrazia è infondabile in senso rigoroso, allora, la cura e la coerenza verso di essa si impongono nella forma dell'intransigenza. Ogni compromesso,

ogni ipocrisia, ogni corruzione, ogni concessione alle illibertà e alle illegalità, sono *distruzione* di democrazia, con effetti cumulativi di valanga non prevedibili (o forse troppo probabili). Del resto, fosse anche la democrazia «dimostrabile», non cesserebbe con ciò di essere fragile ed esposta allo scacco, all'eclissi, alla dissipazione, all'annientamento. È solo una irrazionale fiducia nella irresistibile potenza pratica della dimostrazione sulle convinzioni e i comportamenti umani, che ci fa ritenere il contrario, mentre la dimostrazione razionale ha sorprendenti effetti etico-pratici, ma solo presso chi la dimostrazione razionale già considera valore.

Il cerchio si chiude, allora. La cura per la democrazia esige preliminare cura per la critica, e infaticabile vigilanza contro l'assedio della sragione dogmatico-fideistica, che dalla sua avrà sempre potentissime pulsioni. Ma, analogamente, contro l'altro assedio oscurantista, che celebra i suoi sabba quotidiani nel tracollo dello spirito critico veicolato dalla crescente manipolazione evasiva massmediatica e dalla spettacolarizzazione di ogni sfera dell'esistenza.

La virtú che ci può salvare dalla hybris che minaccia l'avventura umana non è certo la «misura» intesa come medietà di rassegnazione all'esistente, e che oggi ci viene piú che mai predicata da quei pulpiti catodici e altre cattedre. Perché è bensí vero: gli orrori molteplici del secolo che è il nostro sembrano rendere ragionevole l'accontentarsi: cosa sarà mai l'ipocrisia, la corruzione, la menzogna (e perfino la mafia) che caratterizzano l'attuale eclissi della democrazia, per un secolo che ha visto il fumo umano dei camini di Auschwitz e i *gulag* dei domani che cantano, e per decenni la rimozione di entrambi, e ancora la tentazione di rinnovarla?

Pure, comincia con questa «misura» di rassegnazione

alla illegalità e prepotenza partitocratica, al corporativismo politico e alle connivenze con le mafie, comincia con
questa diserzione dalla cittadinanza che i padroni del potere incoraggiano, comincia con l'irresponsabile cullarsi
in questa deriva (e che ci sforziamo di sperimentare come
incolpevole, o di rimuovere *tout court*), comincia con queste debolezze spacciate per misura la rinuncia alla solidarietà del con-vivere democratico che prepara ogni resa e
tracollo. Ma su ogni Titanic si brinda di noncuranza. A
queste dimissioni di rassegnazione consegnano il proprio
obolo anche i nostalgici che, contro la modernità (amputata e rinviata), oppongono l'incanto di servitú e vincoli
del buon tempo antico, quando « si aveva il senso della vita».

Questo potrebbe essere allora il provvisorio commiato:
la mummia del suddito di Tutankhamon che sopporta al
British Museum una interminabile routine di stupore, e
l'uomo di Similaun restituito dai millenni di un ghiaccio
inclemente, sapevano delle cause della loro morte, e del
mondo e di loro stessi, assai meno di quanto noi sappiamo. Conoscevano però il senso della loro vita, si aggiunge.
Ma è proprio questa la nostra irrinunciabile superiorità:
che *non* sappiamo il senso della nostra vita. E non possiamo saperlo. Che dobbiamo inventarlo, se ne siamo capaci.

*Stampato per conto della Casa editrice Einaudi
dalla Fantonigrafica - Elemond Editori Associati
nel mese di ottobre 1992*

C.L. 13001

Ristampa

0 1 2 3 4 5 6 7 8

Anno

92 93 94 95 96 97 98

EINAUDI CONTEMPORANEA

9, 13@, 183@

194, 200, 212

225, 235

PC, the Pope – même combat ?

C L an host eg of post mod anti-...

disincanto = disenchantment.

. ties Arendt to "disenchantment of world"

. broaches no escape from finitude, mod, secularism